A Disciplina do Amor

Coleção Lygia Fagundes Telles

LIVROS DE LYGIA FAGUNDES TELLES
PUBLICADOS PELA COMPANHIA DAS LETRAS

Ciranda de Pedra 1954, 2009
Verão no Aquário 1963, 2010
Antes do Baile Verde 1970, 2009
As Meninas 1973, 2009
Seminário dos Ratos 1977, 2009
A Disciplina do Amor 1980, 2010
As Horas Nuas 1989, 2010
A Estrutura da Bolha de Sabão 1991, 2010
A Noite Escura e Mais Eu 1995, 2009
Invenção e Memória 2000, 2009
Durante Aquele Estranho Chá 2002, 2010
Histórias de Mistério 2002, 2010
Passaporte para a China 2011
O Segredo — e Outras Histórias de Descoberta 2012
Um Coração Ardente 2012
Os Contos 2018

Lygia
Fagundes
Telles

A Disciplina do Amor

Memória e Ficção

Nova edição revista pela autora

POSFÁCIO DE
Noemi Jaffe

Companhia Das Letras

Grafia atualizada segundo o Acordo
Ortográfico da Língua Portuguesa de 1990,
que entrou em vigor no Brasil em 2009.

CAPA E PROJETO GRÁFICO
Raul Loureiro / Claudia Warrak
sobre detalhe de *Beleza Pura*,
de Beatriz Milhazes, 2006, acrílica sobre tela,
199,5 x 400,5 cm. Coleção particular.
Reprodução de Isabella Matheus.

FOTO DA AUTORA
Adriana Vichi

PREPARAÇÃO
Cristina Yamazaki / Todotipo Editorial

REVISÃO
Marise Leal
Veridiana Maenaka

Dados Internacionais de Catalogação na Publicação (CIP)
(Câmara Brasileira do Livro, SP, Brasil)

Telles, Lygia Fagundes
A Disciplina do Amor: Memória e Ficção / Lygia Fagundes
Telles; posfácio de Noemi Jaffe. — São Paulo : Companhia
das Letras, 2010.

ISBN 978-85-359-1772-7

1. Contos brasileiros I. Dimas, Antonio. II. Título

09-02177 CDD-869.93

Índice para catálogo sistemático:
1. Contos : Literatura brasileira 869.93

7ª reimpressão

EDITORA SCHWARCZ S.A.
Rua Bandeira Paulista, 702, cj. 32
04532-002 — São Paulo — SP
Telefone: (11) 3707-3500
www.companhiadasletras.com.br
www.blogdacompanhia.com.br
facebook.com/companhiadasletras
instagram.com/companhiadasletras
twitter.com/cialetras

Para meu filho Goffredo

Sumário

Nota da Autora

Quando recebi pelo correio, enviado pela editora, o primeiro exemplar deste livro, telefonei para o meu filho Goffredo Telles Neto e anunciei, *A Disciplina do Amor* é dedicado a você! Estávamos no fim do ano de 1998. Meu filho chegou tão contente, Olha aí, o documentário que fiz sobre o candomblé da Bahia ficou pronto há pouco, não era mesmo uma coincidência? Abraçou-me com alegria, pediu um café, acendeu o cigarro e começou a ler. Assim que terminou a leitura ele me abraçou novamente com entusiasmo, É o seu melhor livro! Mas tinha duas pequenas observações para uma segunda edição: por que batizei alguns fragmentos com datas, essas datas naturalmente fictícias? Não seria melhor dar títulos para esses fragmentos? Ainda: por que eu mencionei pessoas reais apenas com as iniciais? Não seria melhor, por exemplo, ao invés do P. E. dar o nome, Paulo Emílio? E ao invés de H. H. o leitor não gostaria de saber que aquela era a Hilda Hilst? Pense nisso para uma próxima edição, ele sugeriu. E pediu mais um café para comemorar.

* * *

Tantos anos depois, ao fazer a revisão para esta nova edição fiquei pensando como seria feliz se o meu amado filho ainda estivesse por aqui para ver que segui suas sugestões. As iniciais das pessoas foram substituídas por seus nomes. Quanto às datas de alguns fragmentos, tirante o Dezesseis de Dezembro, que realmente é data do nascimento dele, veio o vento e soprou o calendário.

Lygia Fagundes Telles

A Disciplina do Amor

Sou um Gato

Ele fixaria em Deus aquele olhar verde-esmeralda com uma leve poeira de ouro no fundo. E não obedeceria porque gato não obedece. Quando a ordem coincide com sua vontade, ele atende mas sem a humildade do cachorro, o gato não é humilde, ele traz viva a memória da liberdade sem coleira. Despreza o poder porque despreza a servidão. Nem servo de Deus. Nem servo do Diabo.

Lembro agora daquela história que ouvi na infância e acreditei porque na infância a gente só acredita. Mais tarde, conhecendo melhor o gato é que descobri que jamais ele teria esse comportamento, questão de caráter. Dizia a história que Deus pediu água ao cachorro que lavou lindamente o copo e com sorrisos foi levá-lo ao Senhor. Pedido igual foi feito ao gato e o que ele fez? Escolheu um copo todo rachado, fez pipi dentro e dando gargalhadas entregou o copo na mão divina. Conheço bem o gato e sei que ele jamais se comportaria conforme aquela antiga história. O cachorro, sim, bem-humorado faria tudo o que fez ao passo que o gato ouviria a ordem divina mas continuaria calmamente deitado na sua almofada, apenas olhando. Quando se cansasse de olhar, recolheria as patas no calor do peito assim como o chinês antigo recolhia as mãos nas mangas do quimono. Elegante. Calmo. E mergulharia no sono sem sonhos, gato sonha menos do que o cachorro que até dormindo parece mais com o homem. Outro ponto discutível: dando gargalhadas? Mas gato não dá gargalhadas, é o cachorro que ri abanando o rabo naquele jeito natural de manifestar alegria. Os meus cachorros — e tive tantos — chegavam mesmo a rolar de rir, a boca arreganhada até o último dente. O gato apenas sorri no ligeiro movimento de baixar as orelhas e apertar um pouco os olhos como se os ferisse a luz, esse o sorriso do gato. Secreto. E distante. Nem melhor nem pior do que o cachorro mas diferente. Fingido? Não, porque ele nem se dá ao trabalho de fingir. Preguiçoso, isso sim. Caviloso. Essa palavra saiu de moda mas deveria voltar porque não existe definição melhor para um felino. E para certas pessoas que falam pouco e olham muito. Cavilosidade sugere cuidado, afinal, cave é aquele recôncavo onde o vinho fica envelhecendo em silêncio, no escuro. Na cave o gato se esconde solitário, porque sabe do perigo das aproximações. Mas o cachorro, esse se revela e se expõe com inocência, Aqui estou!

Tenho um Gato

Foi na juventude que conheci o gato bem de perto, quando me preparava para os vestibulares da Faculdade de Direito do Largo de São Francisco.

Era noite. Eu estava na minha mesa na pequena sala do apartamento e lia em voz alta o romance *Iracema*, lia às vezes aos brados para espantar o sono. Então ouvi um ruído brusco de coisa algodoada que entrou pela janela e parou atrás da minha cadeira. Fiquei muda, sentindo o olhar daquela coisa se fixando em mim. Fui me voltando devagar, afetando a calma que estava longe de sentir e dei com um gato malhado, assim espetado nas quatro patas e que me encarava assustado. Eu também assustada. Devagar, aos poucos fomos nos recuperando mas ainda tensos. O modesto apartamento era no primeiro andar de um pequeno prédio cercado pelo casario. A janela da sala dava para o telhado de uma casa velhíssima por onde transitavam os gatos do bairro.

Por onde andam hoje os gatos? Naquele tempo havia gato à beça nos telhados, nos muros. "É que a vida apertou e gato dá um bom cozido", explicou o jornaleiro. A fome aumentou e o telhado diminuiu, onde estão aqueles espaçosos telhados nos quais eles ficavam tomando sol, caçando passarinho e amando? Os ratos em plena circulação mas e os gatos?!

Pois aquele que entrou de repente era um gato de telhado, as manchas amarelas e pretas no fundo branco do pelo curto. Um visitante da noite? Estendi a mão para acariciá-lo mas cabeça de gato não é cabeça de cachorro — primeira lição que ele deu ao recuar com uma soberba que me espantou. A conquista do gato é difícil, embrulhada, não tem isso de amor repentino: mais um movimento de aproximação e ele fugiria ventando.

Antes de sair a minha mãe tinha deixado na cozinha um copo de leite com açúcar. Em silêncio, calmamente, fui buscar o leite, despejei-o numa tigela e deixei-a diante do gato. Voltei para minha cadeira para continuar lendo o romance antigo e agora em voz baixa, ele devia preferir o silêncio. Ele ou ela? Sexo de gato não é assim tão nítido como sexo de cachorro, leva um tempo para a descoberta do sexo e da idade. Gato ou gata vai se chamar Iracema, resolvi. E voltei a atenção para o livro, A casa é sua, avisei. Então ouvi aquele ruído delicado, ele afundara o focinho na tigela e bebia o leite mas não como os cachorros bebem, com sofreguidão, espirrando as gotas em redor: o gato é discreto. Há que amá-lo discretamente, pensei e fiquei sorrindo. Tenho um gato.

"Tudo passa sobre a Terra!" estava escrito no romance que achei triste. Olhei para a outra Iracema que já fazia em silêncio a sua delicada toalete. Apanhei uma almofada e deixei-a assim próxima, Também você vai passar, Iracema?! perguntei em voz baixa. Não sabia ainda que ela permaneceria infinita na memória da minha finitude.

Iracema

Durante o dia, assim como os vampiros, Iracema ficava sumida, chegava com a noite. Eu então abria a fresta da janela e ela entrava silenciosa. Limpa. Nunca perguntei pelos seus negócios lá fora, eu a recebia simplesmente, Entra!

Corria na nossa classe que o professor de literatura estrangeira tinha paixão pela poesia francesa, Oh! Victor Hugo, Oh! Baudelaire!... Foi fácil comprar no sebo *Les Fleurs du Mal* e assim, com o Pai dos Burros ao lado, fui fazendo a tradução, "*Viens, mon beau chat, sur mon coeur amoureux*". A bela gata aceitava em parte o convite: andava um pouco pela sala, roçando o focinho pesquisador nos móveis, fixava-se mais em algum objeto e depois de verificar que tudo continuava sem novidades, assim como na véspera, infiltrava-se por entre minhas pernas ruminando coisas na língua dos gatos, era um afago? Em seguida ia se deitar não no meu peito mas na almofada preferida e ali ficava na sua posição de esfinge, as patas dianteiras recolhidas sob o peito, os olhos luminosos, ah! aquela simples presença me acalmava, ia tudo bem, é claro, meu namorado me amava e eu tinha boas notas nas provas.

Comprei duas tigelas de barro, uma para o leite e outra para a carne. Ela comia e bebia com elegância, sem se afobar mas também sem demonstrar fastio, o que seria indelicado: o apetite exato. Depois a toalete com as patinhas brancas limpando sem pressa o focinho. Recolhia as patas sob o peito e só então os olhos iam aos poucos esmorecendo, numa expressão de sorridente calma. Penso hoje que Iracema era a presença do Paraíso Perdido na nossa sala. Como seria triste viver sem um pouco desse fragmento na cidade de cimento e ferro: a família separada, agora eu vivia só com a minha mãe no apartamento modesto, estávamos pobres. E pobre não tem mesmo atrativos, a maior atração era eu mesma naquela juventude ansiosa, afinal, era muito cedo para se falar na tal angústia existencial e outras angústias, essa moda viria mais tarde.

* * *

Você sabe latim, Iracema? Me ajuda no latim — pedi-lhe mais de uma vez. Não teria feito esse pedido a um cachorro mas o gato tem um certo ar de latinista que vai até a raiz das coisas, Me ensina latim! supliquei rodopiando com ela no ritmo da valsa, tinha uma valsa no toca-discos. Pulou do meu colo, gato não gosta de dançar, gosta de ouvir música fina, mas sem sair da sua posição preferida. Gosta também de poesia, tantos poetas do mundo foram se inspirar em gatos com suas emanações de sortilégio. Magia.

Eu tinha dito que Iracema era um fragmento do Paraíso Perdido, mas tia Andrelina quando nos visitou teve aquele sorriso quando viu Iracema surgir do fundo da noite e varar como uma seta a nossa janela e vupt! — cair de pé no meio da sala. Gato tem parte com o Diabo, ela disse e começou a tagarelar, As orelhas deles se aguçam para trás, pontudas e malignas feito chifres. E o pelo que se eriça, às vezes, elétrico, o rabo na vertical. O olho também entra na metamorfose misteriosa, o verde-esmeralda invadido pelo negro da pupila dementada — ah! por que, às vezes, essa mudança?!... Mas de curta duração porque ser Diabo é muito laborioso, gracejou a tia. E gato é preguiçoso, companhia ideal para os contemplativos. Para as bruxas cismarentas e para os amantes mais velhos, na idade da razão e ainda depois, na velhice, os velhos gostam dos bichos quietos. Memória e cinza.

Achei graça nas considerações da tia mas bem que pensei nelas quando rompi com o namorado, sim, Iracema era uma egoísta, meu coração queimando e Iracema ali, impassível. O telefone mudo, o bilhete que não chegava e ela assim indiferente, distante, Vai, Iracema, fala se ele não me ama mais, fala?! E o *beau chat* indiferente, presente, mas desligado. Brigamos, ou melhor, só eu briguei. Um cachorro teria vindo me consolar, lamber minhas lágrimas, fazer piruetas para me obrigar a rir, mas a gata era uma comodista, Você é uma comodista! eu disse. Eu aqui tão aflita, rolando de desespero e você com essa cara de lata, ah! por que não tenho um cachorro?!

Ela ouviu impassível e em seguida saiu da almofada, subiu na poltrona diante da janela e ficou voltada para fora. Depois, sem uma palavra, entrou na fresta e sumiu na noite.

Fiquei feliz quando desconfiei que ela estava grávida, era mesmo uma gata. Ficou mais gorda e mais bonita, o andar assim suave. Às vezes me interrogava com os grandes olhos úmidos, E então? Acalmei-a, Tudo bem, querida. Preparei para você este caixotinho, está vendo? Ele vai ficar aqui neste banco, junto da janela. Quando chegar a hora você vem e pula nele, forrei com panos, veja como está quentinho! Ela entendeu e aprovou.

Estava na época das minhas férias, minha mãe e eu íamos viajar mas antes fiz as recomendações para a nossa vizinha que ficou com a chave do apartamento e partimos.

Quando voltamos o porteiro do prédio veio informar com aquela indiferença tão indiferente que a nossa gata tinha morrido. A vizinha teve que passar essa noite no hospital e quando voltou de manhã achou a gata morta junto da janela com os dois gatinhos prematuros...

Outras casas, outros bichos, mas aquela Iracema. Vejo--a em pensamento arranhando o vidro da janela tentando entrar e então peço-lhe perdão pela janela fechada e por aquela nossa briga que eu provoquei, quando ela me deu as costas e ficou olhando a lua.

Era um Leão

Me alinhei ao lado dos humildes e descobri que não era bastante humilde para ficar junto deles, falsa a minha curvatura, falso o despojamento. Me alinhei ao lado dos fortes e vi que não era suficientemente forte para sustentar por mais tempo aquela arrogância, representava planar sobre os outros porque acreditei que assim não seria esmagada pelo rolo compressor. Teria que subir em cima desse rolo, pisar nele — ah! meu Deus, mas era isso o que eu queria?

Não, também não era isso. Quis ficar só para ser verdadeira, agora queria apenas ficar só e então sonhei que era uma Rainha num coche desgovernado, em vão chamei por alguém que eu sabia por perto, onde? E o coche rodando para trás, para os lados, sem cavalos e sem cocheiro. Consegui descer e encontrei uma gata cor de mel com seu gatinho, me aproximei enternecida, E o pai? perguntei e apareceu um leão de juba desgrenhada e olhar de pedra. Corri, tinha uma mulher na casa mas a mulher gesticulava e não podia fazer nada enquanto o leão ia fechando o cerco, acordei com as pisadas na minha retaguarda. Mas quem me detesta tanto assim para me atacar até no sonho? quis saber e nesse instante vi minha imagem refletida no espelho.

Hotel dos Viajantes

Volto à antiga cidadezinha da minha infância em busca dos meus fantasmas. Entro no velho Hotel dos Viajantes sem viajantes e sei que ninguém me conhece e eu não conheço mais ninguém. Depois da sopa de letrinhas, saio sem ser vista. Já é tarde e o Largo do Jardim está deserto na noite fria. Fecho o casaco e me sento num banco da praça. A igreja. O coreto. Olho as casas fazendo um círculo em redor do jardim e não sei mais qual delas teria sido a nossa casa: são parecidas na decadência e no escuro. Me levanto num susto: não era detrás daquela figueira que minha pajem Ana gostava de se esconder? Procuro o Beco das Cocadas. A casa da velha doceira desapareceu mas ficou o muro coberto de musgo. Passo a mão no musgo úmido. Parece emitir certa luminosidade e penso que a velha pode estar atrás desse muro, dou a volta correndo e não encontro nada. Passo pela porta da Igreja e penso na minha mãe que cantava no coro, dou a volta em torno e não encontro viva alma, ela usava essa expressão, não tem viv'alma. Nem viva nem?... Sigo pela rua principal que vai dar no cemitério. Por aqui iam os enterros importantes com meu pai na frente entre o padre e o prefeito, ele era o mais alto de todos e falava alto, as passadas largas, o padre tinha que arregaçar a batina para acompanhá-lo. A casa da esquina: aqui morou o tio que foi assassinado num comício, pai da priminha que entrou para o Convento das Carmelitas Descalças e morreu logo depois, eu só queria andar descalça quando ela morreu. Fiz no porão um altarzinho com seu retrato, ia lá acender vela e rezar todas as tardes. Na procissão, não quis minha roupa de anjo, queria uma roupa igual à de Santa Teresinha do Menino Jesus. Depois, não pensei mais nem nela nem no altar que armei no porão, ganhei um par de patins.

O portão preto com as rosáceas de ferro, corolas de quatro pétalas de hastes entrelaçadas nas grades. Espio. No quintal tinha a cachorrada que a tia recolhia nas ruas, mas hoje tudo está escuro e quieto. Passo as pontas dos dedos na mureta onde ficava o prego com a chave do cadeado, encontro o furo do prego. Olho para trás. O que julguei ser o vulto da minha prima é apenas a sombra da minha sombra que a lua verde projeta na calçada. Me enrolo no xale e volto sem ser vista. A noite está enevoada e fria. O Largo do Jardim está deserto.

No dia seguinte, enquanto me serve o café da manhã, o dono do hotel conta em voz baixa que na noite passada foi visto o fantasma de uma mulher enrolada num xale que atravessou o jardim, vagou pelas ruas e becos e sumiu na direção do cemitério.

Chegaram as Visitas

Quando acordei vi um Diabinho risonho montado no meu peito e outro Diabinho dependurado no lustre e se divertindo em coçar o ouvido com a ponta do rabo. Olhei para um, olhei para o outro e achei ambos parecidos com dois macaquinhos pretos, não fossem os pequenos chifres em meio das orelhas. Respirei fundo e relaxei a posição tensa, Vieram me visitar, hein?! — eu perguntei. O Diabinho dependurado no lustre sacudiu a cabeça afirmativamente enquanto o Diabinho do meu peito fez uma careta divertida e deu uma cambalhota mais leve do que a fumaça do cigarro que acendi. Relaxei a posição tensa. A verdade é que não sentia medo apenas curiosidade pelos meus visitantes da madrugada. Traguei mais profundamente. A verdade é que ainda estava curtindo a dor da perda do meu amor. Assim, ali estava prostrada como um sol apagado, memória pálida do sol que me aqueceu e iluminou, ah! mas com tanta força, um incêndio! E agora eu era cinza. Fica, meu amor! eu quis gritar na cerimônia do adeus, sim, eu quis pedir como o poeta Goethe pediu ao instante que passava, "Fica, és tão belo, fica!" Pensei em Roma de trás para diante, Roma assim era o Amor. E agora, a cinza. Cinza ainda morna mas cinza. Despenquei do sonho e ali estava na mornidão. Na solidão. Traguei mais profundamente e um pequeno rolo de cinza rolou pelo meu peito. O Diabinho pulou a cinza com um movimento gracioso e me encarou para ver se eu me diverti com sua acrobacia. Não, não me diverti e então percebi uma expressão condoída em seu olhar perplexo. Rolei a cabeça, ah! do incêndio não restara pedra sobre pedra, osso sobre osso, Ah! eu disse em voz alta, rolando no travesseiro a cabeça opaca e na qual estivera um gorro de pedras fulgurantes que durou enquanto durou o meu amor. E agora ali estava esvaziada, sem forças nem para sorrir para os dois Diabinhos marotos que insistiam em me distrair; aquele lá do lustre e este aqui brincando com o rolo de cinza no meu peito. Fechei os olhos com enfado. Quando os abri de novo o toco do cigarro entre os meus dedos estava apagado e os Diabinhos já tinham ido embora. Imaginei-os saindo com o rabo entre as pernas e desapontados, Adeus! deviam ter dito. Sentei-me na cama. Tinha perdido também os meus visitantes, os meus demônios, estou sozinha. Sozinha. Antes estivera infernizada e assim provocada quem sabe ainda poderia reagir, voltar à luta, ah! quem sabe na luta a esperança! Devo então ter gritado, Ei, onde é que vocês dois estão? Voltem, não me abandonem, voltem!... A janela abriu de repente e veio o vento que soprou a cinza do meu peito. O cheiro de enxofre foi desaparecendo aos poucos. Fechei a janela, deitei-me novamente e fechei as mãos.

A Nave dos Loucos

Com muita ênfase um psiquiatra declarou que o número de loucos na nossa cidade aumentou assustadoramente. Grande novidade, era como se estivesse nos informando que o mel é doce.

Nem será preciso fazer pesquisas, somar números, basta dar um giro pelas ruas e já nos sentimos passageiros da própria nave desatinada, solta no mar profundo, profundíssimo — ô meu Deusinho! — quem vai nos trazer de volta ao porto?

Nos usos e costumes da Renascença estava incluído esse original sistema de enfiar os loucos dentro de um navio e lançá-lo ao mar: um pouco de pão, de água (rações que durariam três ou quatro dias) e eis a nave vagando em meio dos ventos, arrecifes e tempestades, Adeus! Solução rápida para problema demorado: o mar é grande mas Deus é ainda maior. Quem sabe agora Deus se ocuparia desses inocentes, hein?! E onde fica o grão do acaso? Do imprevisto? Ao invés de dizer, Meu irmão está trancafiado numa cela, tão mais poético dizer, Ele foi pro mar! Tanta água, tanta. Nela também se lavavam as mãos.

Neste nosso tempo as naves ficam em terra firme, não é difícil o passaporte para o embarque nos asilos, sanatórios, clínicas de repouso, institutos — dezenas de nomes, rótulos que variam com a condição econômica do passageiro. Se é louco pobre, nada de cerimônia, é hospício mesmo.

"O louco come merda", dizia a minha pajem e eu ficava preocupada porque levava a coisa ao pé da letra. Só mais tarde entendi, ela queria se referir ao sofrimento, louco sofre demais, principalmente louco do Terceiro Mundo. E lá fora?

Paulo Emílio tem um amigo psiquiatra, Jean Oury, diretor de uma clínica nos arredores de Paris. Instalada num antigo castelo em meio de um prado verdejante, com os enfermos soltos por ali, confundidos com os médicos, com os enfermeiros, essa clínica me pareceu o próprio paraíso da loucura. Se um dia enlouquecer, posso vir pra cá? perguntei e Jean Oury teve um sorriso lento mas com uma ligeira ponta de preocupação: no dia anterior (eu soube depois) uma jovem esquizofrênica tinha se afogado no rio que passava pelo bosque, ela gostava de passear nesse bosque. Pensei logo em Ofélia (Shakespeare) coroada de florinhas, descalça, cantarolando até mergulhar na água, os longos cabelos misturados às ervas verdes, flutuando com os juncos — ô literatura! Por que as coisas nos parecem sempre belas quando protegidas pela distância? O castelo com suas torres brancas, com seus loucos passeando numa outra língua... Vista naquelas lonjuras, até a sinistra *Stultifera Navis* não chega a ter um certo encanto? A ambiguidade dos prisioneiros acorrentados a um barco completamente livre. No mar livre.

A Loucura no Cardápio

"O homem é tão necessariamente louco que não ser louco representaria uma outra forma de loucura", escreveu Pascal. Deve ter pensado nisso a psiquiatra Karen Horney quando fez uma lista dos sintomas básicos da neurose, uma lista enorme, dela ninguém escapa. A loucura no cardápio. Basta ler e apontar, esta é a minha. Selecionei as neuroses mais comuns e que podem nos levar além da fronteira convencionada: Necessidade neurótica de agradar os outros. Necessidade neurótica de poder. Necessidade neurótica de explorar os outros. Necessidade neurótica de realização pessoal. Necessidade neurótica de despertar piedade. Necessidade neurótica de perfeição e inatacabilidade. Necessidade neurótica de um parceiro que se encarregue da sua vida — ô! Deus — mas desta última necessidade só escapam os santos. E algumas feministas radicais.

Tão difícil a vida e o seu ofício. E ninguém ao lado para receber a totalidade (ou parte) do fardo. Os analistas, caríssimos e na maioria, um lixo: um lixo, Freud considerava a totalidade dos seres humanos, isso nos últimos anos da sua vida sem muita ilusão. Ele não conheceu seus discípulos. E por acaso é com o analista que se comenta o filme na saída do cinema? O livro. O sabor do vinho, esse gosto meio frisante, hein? E esta pele e esta língua. A minha tiazinha falava muito na falta que lhe fazia esse *Ombro Amigo*, apoio e diversão. Envelheceu procurando um. Não achou nem o ombro nem as outras partes, o que a fez choramingar sentidamente na hora da morte, Mas o que você quer, queridinha?! a gente perguntava. Está com alguma dor? Não, não era dor. Quer um padre? Não, não queria mais nenhum padre, chega de padre! Antes do último sopro, apertou desesperadamente a primeira mão ao alcance: "É que estou morrendo e não me diverti nada!".

Sob Protesto!

Leio hoje no jornal que chegou da Europa um circo importantíssimo, com um mágico estupendo. E o nome do mágico estupendo é o mesmo nome do meu tio das mágicas caseiras, aquele que estourou feito uma romã madura, o vermelho encaroçado saindo pelo buraco da bala. "Quero que o mundo saiba que a minha morte é um protesto!", ele gritou escancarando a janela para a rua e apontando o cano do revólver na cabeça. Lado esquerdo, era canhoto. Queria que o mundo soubesse do seu protesto e nem sequer a rua soube, porque estava deserta naquele feriado. Na versão familiar, era um homem equilibrado e bom, um tanto tímido. Com mania de mágicas, não me lembro das suas feições nem da sua voz, me lembro das longas mãos silenciosas fazendo aparecer e desaparecer cartas de baralho, flores, lenços — usava um lenço branco com as quatro pontas aparecendo no bolsinho do paletó. À noite, acendia uma vela e projetava na parede a mímica das sombras. Adivinha que bicho é este! Vieram os distúrbios emocionais agravados por problemas de alimentação, transporte, dificuldades econômicas, abuso de pílulas — teve todos os estímulos que excitam o desenvolvimento da insegurança. Do medo. A cidade tão propícia à loucura. Mas não oferecendo jamais a mesma propiciação quanto ao tratamento. Médico caro. E raro. Os estabelecimentos psiquiátricos enfartados de doentes. Nas clínicas particulares, nem pensar porque além do doente teriam que deixar um saco de ouro em pó. A solução que ele encontrou para não voltar a ser internado foi se matar. Sob protesto.

Solução melhor é não enlouquecer mais do que já enlouquecemos, não tanto por virtude, mas por cálculo. Controlar essa loucura razoável: se formos razoavelmente loucos não precisaremos desses sanatórios porque é sabido que os saudáveis não entendem muito de loucura. O jeito então é se virar em casa mesmo, sem testemunhas estranhas. E sem despesas.

Alagados

Aperto o botão e começa a sucessão de cenas das enchentes afogando cidades, tragédia a cores é mais demagógica do que em preto e branco: casas com água até o telhado, os moradores amontoados no telhado — um menino segurando um cachorro, uma galinha enrouquecida, os pés amarrados, a crista vertendo sangue. Barquinhos com seus barqueiros inexperientes lutando contra a correnteza das águas lamacentas que arrastam nos seus rodopios tufos de folhagem, destroços de móveis, pneus desgarrados numa fúria incontrolável para chegar — chegar aonde?

Choveu. Então os rios transbordaram (estão sempre transbordando) e devido aos esgotos entupidos (estão sempre entupidos) as águas subiram e buscaram tumultuadas seus próprios caminhos que por coincidência são os caminhos dos homens. Dezenas de afogados. Desaparecidos. Desabrigados que apontam vagamente para o lugar onde devia estar a casa, a mulher, o cachorro. Os olhos secos de um homem que aperta a boca sem dentes, de cantos caídos, o esgar é o da máscara da tragédia, apenas essa não é máscara de teatro mas a face viva da dor humana: ele podia enlouquecer mas não enlouquece, podia morrer mas não morre. Abre as grandes mãos sujas de terra, balança o corpo magro, batido pelo vento, fecha os punhos mas o cinegrafista já desviou a máquina para a mulher sentada numa lata. A repórter faz perguntas, quer saber o que a mulher perdeu na enchente. A mulher coça o braço, junta os pés descalços, encolhe os ombros: está desinteressada, já viu antes essa gente, não viu? E perguntando as mesmas coisas, já viu antes essa máquina, talvez a mesma moça das perguntas. Já faz tempo que isso se repete. Coça a perna, tira da saia um fiapo de linha. Olha em redor. A máquina (o cinegrafista é hábil) acompanha esse olhar que percorre o cenário de desolação e morte. Os detalhes, há uma boneca sem braços meio enterrada no capim, mas a cara de celuloide está intacta. O menino de barriga inchada e short começa a rir, envergonhado, se escondendo da máquina. É preto e por isso os cacos de dentes parecem excepcionalmente brancos. Quando tapa a boca e se agacha, a máquina o abandona e se fixa na velha que enxuga os olhos na manga do casaco. Ouve-se a palavra *epidemia* e a repórter surge no primeiro plano para avisar no seu tom enérgico que há perigo de epidemia e essas vacinas ainda não...

Herpes-Zóster

As dores agora são fisgadas mais violentas, entremeadas com raios fulgurantes, minha cabeça fica azul. Tomo outra dose de Beserol e vou me sentindo bucólica, bovina. É a trégua. Fico mastigando devagar um caramelo de leite no ritmo das vacas ruminando ervas, a sonolência meio torpe, me assusto, a baba verde, não! Peço a Paulo Emílio que telefone ao primo Raymundo, quero saber que providências tomar se a dor ficar insuportável, ele já teve que vir de madrugada para me aplicar uma injeção de morfina e hoje é sábado, dia em que os doentes pioram. Nos sábados, domingos e feriados (os médicos na praia) é que sobe a febre e o braço quebra e o apêndice supura. Farmácias e caminhos fechados.

Cobreiro — esse o nome de origem popular e rural. Eu teria roçado em alguma folhagem por onde passou alguma cobra ou me enxugado numa toalha por onde ela teria deslizado — ô! Deus — até quando essa serpente vai nos perseguir?!

Fui ver no dicionário *Aurélio* a definição de *herpes*. Fixei-me no tópico *herpes-zóster*, erupção de vesículas, de um lado só do corpo, acompanhando o trajeto de um nervo.

Fiquei repetindo o nome (de origem grega) que quer dizer *réptil*: herpes, herpes. Carregando no *s* a sonoridade se aguça num silvo rastejante, perigoso — mas por que na minha cabeça? Dos piores lugares, precisamente na central elétrica da dor, quando levantei o cabelo perto da nuca, lá estava no couro cabeludo o longo vergão rubro, cobrinha ardente. Latejante. A cura? Benzeduras, o malefício só se corta com rezas, alecrim queimado, fumo e teia de aranha de mistura com outras substâncias não identificáveis que a feiticeira da fazenda preparou no seu fogão de lenha. Porque a medicina é meio vaga a respeito dessas mazelas que devem fazer parte do rol das doenças tropicais, indevassáveis como a hileia amazônica: o vírus se desenvolve, atinge seu esplendor (as dores mais fortes) e depois morre a prazo fixo, dez dias? Quinze? Perfeita a explicação científica mas me inclino para os mistérios ofídicos.

O Sonho

Entro no sol, atravesso seu coração vermelho-cálido e acordo num campo de ouro que pode ser também um mar. Noite. A névoa foi então subindo do chão ou da água, subindo rápida até meus joelhos, subiu mais, atingiu meu peito e quando chegou quase na altura do meu queixo, fui tomada de pânico, é a morte. É a morte, pensei me debatendo, tentando me livrar da névoa que já atingia a minha boca, ultrapassou-a: então respirei leve, transparente, mas era isso morrer? Abri os olhos para a manhã que me varou com sua luz e eu era mais límpida do que a manhã. Fiquei calma, uma doce vontade de não ser quando me deito de bruços no alto da montanha e fiquei vendo lá embaixo os rios rolando. Cruzavam-se e as águas ondulantes iam formando na base da montanha um aro movediço: inclinei-me para ver melhor, não, não eram rios de água mas rios de gente, rios humanos — indo para onde? Os mortos. São os mortos! pensei. Nesse instante, alguém destacou-se de um daqueles rios e veio subindo a montanha na direção de onde eu me encontrava. Esperei. Na metade do caminho vi que era uma mulher. Os trajes eram de uma antiga dama egípcia, as mãos cruzadas sobre o peito, os olhos pintados de lápis--lazúli. Aproximou-se a uns dez passos apenas de distância, parou e ficou me olhando. Havia em sua expressão qualquer coisa que me pareceu familiar, o que era? Sorri e de repente me vi sorrindo no seu sorriso — o seu sorriso era meu e meu aquele rosto que me encarava como num espelho. Animei--me: Eu fui você! gritei. Um dia, num outro tempo, eu fui você! Ela moveu afirmativamente a cabeça. Fiquei feliz com a descoberta, tudo não passava de um transformar contínuo, não era simples? E agora? lembrei-me de perguntar. O que vou ser agora? No fundo do seu sorriso senti uma certa malícia que me fez sorrir também. Você vai ver, respondeu sem palavras. Levantou a mão espalmada, que eu esperasse: Você vai ver. No seu passo que mal tocava o chão, foi descendo a montanha, a silhueta esguia e reta seguindo a mesma trilha da subida. Mesmo sem distinguir-lhe as feições pude adivinhar que estava sorrindo quando me olhou pela última vez antes de se integrar ao rio, Você vai ver. Não me dirá nunca, pensei mas isso não tinha mais importância, eu estava contente ali na montanha de sol, mascando um favo de mel, fechei os olhos. Dormi.

As Águas Vão Rolar

Ligo a televisão. Cenas de um carnaval antigo onde as passistas fantasiadas de borboletas num jardim suspenso cantam no bloco que desfila diante do mar, *Oh, abre alas que eu quero passar!/ Eu sou da Lira, não posso negar/ Rosas de Ouro é que vai ganhar!*

Mudo de canal e lá está o desfile do carnaval em plena avenida, há muitas plumas e pedrarias e um carro alegórico com um imenso dragão dourado que quando abre a bocarra brota dela uma passista seminua, de botas e cantando *Garrafa cheia eu não quero ver sobrar!/ Eu passo a mão no saca-saca-saca-rolha...*

Os holofotes estão enlouquecidos em meio dos apelos, ai! mas tudo é tão importante e agora o cinegrafista vai focalizar a Porta-Estandarte com sua imensa saia rodada a rodopiar em volta do Mestre-Sala que se ajoelha com sua cartola. Mas atenção porque já se aproxima o carro da Estrela, as arquibancadas vibram e do céu vão caindo estrelinhas de papel prateado, é *A Hora da Estrela* com a passista de tapa-sexo fulgurante, cantando lá no alto da pirâmide, *As águas vão rolar./ Garrafa cheia eu não quero ver sobrar!/ Eu passo a mão no saca-saca-saca-rolha...* Há uma mulher que desmaia no bloco das baianas, o cinegrafista só filma o tabuleiro desfeito no asfalto e o fiscal já aparece correndo, mal disfarça a aflição com seu terno branco engomado e chapéu de palha, está apressando, Olha o tempo, o tempo! ele sussurra apontando o relógio? Ah! e o último carro assim devagar, o que está acontecendo com esse carro, Vamos, vamos! mais depressa, o tempo! E — maravilha! — vem o imenso carro com um trono dourado onde está sentado o jogador com a bola de futebol entre os joelhos. A câmara se fixa na cara do jogador com a camisa do clube, ele está sorrindo mas os olhos estão lacrimejando, a expressão, assim perplexa de quem não está entendendo, Mas o que é isto?!... Corte rápido para a cara deslumbrada de um negro acenando na arquibancada, grita levantando os braços num delírio, *Garrinchaaa, Garrinchaaa!...* Corte rápido para a cantora loura com o microfone, está descabelada e rouca, quer continuar a entrevista mas já se aproxima triunfal a Escola lá no início da Avenida que vem cantando com toda a força, *Cê pensa que cachaça é água?/ Cachaça não é água não.../ Cachaça vem do alambique/ e água vem do ribeirão...* Corte rápido para a ambulância que abre caminho atrás da arquibancada acendendo e apagando a luz vermelha, desvia-se da multidão que acompanha um bloco de palhaços. Detalhe para a havaiana gorda chorando e detalhe para a menina vestida de bailarina, dormindo de boca aberta no colo da mãe sentada debaixo da árvore.

Desligo e então me lembro de um turista que passou o carnaval no Rio e voltou em seguida declarando que o Brasil é o país mais feliz do mundo!

Os Sapatos Eram de Ferro

Nasci junto com o dia. Então me lembrei que já tinha nascido na véspera e vi que não ia nascer mas ressuscitar. Duas mãos se colocaram firmemente nas minhas costas e me empurraram fora da cama, Vai! A estrada comprida. Opaca. A ventania levantou meu cabelo e disse dentro do meu ouvido que era preciso calçar sapatos de ferro. Olhei para os meus pés descalços. Então ela me levantou em seus braços — a ventania tem braços — e me depositou no fundo da água transparente. Morna. Quis subir mas pesava meu coração de ferro. Tem um tesouro dentro? perguntei quando os peixes menores começaram a nadar em círculos em minha volta e depois se afastaram sem olhar para trás. Agora estou só na estrada e é noite. No céu, as estrelas seguem em cardumes cintilantes assim na trilha dos peixes. O silêncio. E a floresta escura me esperando lá no fim. Sei que não posso voltar e a floresta ficando mais perto, o medo, quero assobiar como aprendi nas histórias, tinha sempre um viajante que assobiava para espantar o medo mas o sopro que sai da minha boca — fogo e gelo — não tem nenhum som. Vejo então um homem de sobretudo preto e chapéu desabado caminhando firme na minha frente. Tem as mãos metidas nos bolsos e anda com segurança, sem olhar para os lados na sua marcha em direção à floresta. Me animo, tenho companhia, vou com ele! resolvi e eis que um homem semelhante apareceu com seu sobretudo e chapéu, andando alguns passos atrás do primeiro. Um é o Bem e outro é o Mal — alguém me avisou ou descobri de repente. Parei sem saber qual escolher, nenhuma diferença, tão iguais! E a floresta mais próxima, opção rápida, aquele? Os dois prosseguindo implacáveis, qual era o Bem? O outro? Quis rezar a reza da infância mas não lembrava das palavras. E a estrada se acelerando, virou uma escada rolante, me equilibrei no último degrau, depressa! resolvi correndo até o homem que ia na frente. Entramos na floresta.

Geleia de Maçã

Quando subi no trem noturno o chefe da estação veio me avisar que minha companheira de cabine era uma senhora já de idade e que preferia ficar com o leito inferior, isso se eu não fizesse questão. Não fiz questão. Entreguei-lhe a minha maleta, o meu violão e fui comer um sanduíche no carro--restaurante. Quando voltei a velha senhora já estava recostada nos travesseiros, comendo biscoito com geleia. Usava uma camisola de flanela com florinhas azuis, os olhos também azuis. Apontou para o meu violão e perguntou se eu era cantora. Respondi rindo, ah! não, era uma estudante que fazia parte do grupo acadêmico que ia cantar numa festa no Rio, estava de férias, a minha mãe tinha ido na frente, ficávamos hospedadas na casa do meu irmão que morava em Copacabana. Sentei-me na beirada do leito e ela então insistiu, que eu aceitasse um biscoito com geleia de maçãs colhidas no seu próprio quintal, foi a nora que lhe mandou a receita, eu não gostava de geleia? Na obscuridade da cabine (acesa apenas a luz embutida na cabeceira) pude ver que sob o branco esfarinhado da velhice ainda lhe restara alguma beleza, por acaso era alemã? Não, nenhuma ascendência estrangeira, o filho único é que se casara com uma austríaca, ele era médico. E então, eu estudava Direito? Pois esse filho formou-se, ganhou uma bolsa de estudos na Alemanha e hoje era um psiquiatra importantíssimo, diretor de uma clínica em Viena. "Tão feliz com a mulher e os meus netos, dois alemãezinhos lindos que não sabiam uma palavra sequer de português, e era preciso?" A velha senhora limpou os cantos da boca com um lenço de papel que tirou da sacola e falou com brandura enquanto tapava o vidro de geleia: saudades? Ah, sim, no início a saudade era quase insuportável mas ela e o marido acabaram se acostumando, a gente se acostuma com tudo, não é verdade? "A gente só não se acostuma com a morte," murmurou e a sombra de uma sombra passou rápida pelos seus olhos transparentes. Encarou-me. Sorriu. Então eu seria advogada? Pois esse filho médico, prosseguiu baixando a voz, esse amado filho tão bonito, tão brilhante, as melhores notas da turma, hein?!... Sim, estivera à beira do suicídio! Sob aquela aparência tão saudável ele escondia um segredo terrível. Soube naquela noite mesmo, quando ele chegou e se trancou no quarto e ela desconfiou, "Abra, filho!", pediu batendo com os punhos na porta, o marido viajando, a empregada fora, "Abra esta porta!", suplicou porque via, como se a porta fosse transparente, o desespero dele, em prantos, escondendo o revólver debaixo do travesseiro. "Abra esta porta, filho!" Quando se deitaram é que sentiu o revólver sob o travesseiro de penas, esse revólver que acabou levando depois no bolso do roupão... Baixei a cabeça e fiquei olhando para o chão porque a minha cara estava tão espantada, Mas será que escutei direito, ela teria dito mesmo *quando se deitaram*?

No solavanco mais forte do trem apagou-se a luz da cabine, só ficou a voz subitamente rejuvenescida no estilo galopante, seco. O jovem era um edipiano feroz que muito cedo descobriu que a impotência sexual vinha desse complexo, ódio pelo pai, paixão pela mãe que nessa época era uma bela mulher, aquela embrulhada, que desesperadamente tentou desembrulhar com amores devassos, amores castos, tentativas com donzelas, prostitutas, negras e arianas, lésbicas e homossexuais, quem sabe era um homossexual enrustido? Antes fosse e o drama seria solucionado, mas tudo em vão, continuava aquela ansiedade, o sofrimento. Tentou análises, terapia individual e de grupo, choques, chegou a recorrer a um padre muito bonzinho que fizera sua primeira comunhão, ficaram amigos, pensou mesmo em entrar para um convento mas desistiu, outra fuga? Voltou à vida dupla porque teve que se dividir em dois, o moço estudioso, tranquilo e o outro — o delirante na busca que não lhe dava trégua, mais outra tentativa, outra ainda e nada, NADA! O gozo só vinha mesmo na masturbação, quando se fazia menino outra vez, um nenê pedindo o peito, a ejaculação doloridíssima suavizada pela lembrança do leite morno na boca. Mas por que não me contou filho? ela perguntou também desfeita em lágrimas, a mãe sempre a última a saber, tão feliz andava com o sucesso do filho. E ele se castigando na luta pelas melhores notas, pelas medalhas de ouro nas corridas de resistência ou atirando dardo, peso, disco — ah! se pudesse se flagelar com um chicote! Então ambos se deitaram chorando e se consolando, tamanha a solidariedade dessa mãe ainda jovem por esse filho que lhe pedia o seio assim como uma criança, deu-lhe o seio e com naturalidade, passaram para a ação num amor que durou essa noite e se estendeu por toda a semana que antecedeu a viagem que ele fez para a Alemanha, quando se buscavam e se encontravam no desejo nítido, sem tibiezas. Abrasador. Difícil explicar o inexplicável mas no silêncio e no escuro do casarão foi se fazendo ordem lá dentro dele, as coisas desajustadas se ajustando nos lugares: rompeu-se o cordão umbilical e dessa vez para sempre. Ele pôde renascer inteiro. Livre.

A luz voltou na cabine, e eu continuava olhando para o meu violão equilibrado ali no canto dentro do seu estojo preto. Respirei fundo, passei a ponta da língua na boca ressequida e me voltei para vê-la... Agora ela olhava para o reloginho de pulso, "Ih! que tarde...", queixou-se com a voz assim esmaecida como a luz. Ficou uma velha novamente. Ah! gostava muito desse reloginho, presente dos netos, pena é que os números eram complicados, difícil de entender esses números modernos, preferia aqueles tradicionais, graúdos. Suspirou e desculpou-se, tomara tanto do meu tempo, enfim, ia se calar. Se dormia bem nesse noturno? Ah! como uma criancinha, adorava esse balanço, não parecia um berço?

Pedi licença, fui à toalete e em seguida subi para o meu leito superior. Quando acordei de manhãzinha, ela já tinha desembarcado. Na cabine, ficou apenas o leve perfume adocicado de maçãs.

Paulo Emílio

Ele estava com um livro na mão mas não lia, olhava em frente, quieto. Perguntei o que ele estava olhando. "Estou olhando aqui dentro de mim mesmo", ele respondeu. E o que você está vendo é bonito? eu quis saber e seus grandes olhos esverdeados estavam úmidos e neles, como num espelho, vi refletido o seu interior. Fui saindo na ponta dos pés.

Da Delicadeza

Os delicados preferem morrer — escreveu Carlos Drummond de Andrade. Mas os delicados aos quais se refere o poeta não são aqueles que apanham a luva que caiu, no tempo em que as mulheres usavam luvas. Ou que cedem a poltrona na sala ou que seguram a porta do elevador enquanto as senhoras estão saindo. Não, não se trata dos delicados dos manuais de boas maneiras mas de um tipo de delicadeza que revela apenas a falta de vocação para a vida.

Os delicados podem ter vocação para o piano, para o teatro, para a poesia. Vocação para a máquina, aquele era um excelente relojoeiro. O amigo francês era outro delicado, físico raro que estudava a estrutura da bolha de sabão. Com toda sua vitalidade, o moço do trapézio voador, que voava sem rede, também era um delicado, minha mãe tapou meus olhos para não ver o corpo branco se fazendo vermelho na lona do picadeiro. Ele queria isso, disse o gerente do circo, ele esperava por isso. Minha colega da Faculdade de Direito não contava as pílulas dos calmantes que ia engulindo. Um primo míope tirou os óculos para não ver o sangue enquanto ia cortando os pulsos — todos os delicadíssimos saindo pelas portas da morte sem olhar para trás.

E os fortes? Na classificação sumária, acho que somos os fortes simplesmente porque estamos vivos e fazendo tudo para prosseguir nesse estado, mais do que isto! Lutando por essa vida e com que obstinação. Provas? Atravessamos a rua feito um raio para não sermos atropelados, desviamos depressa a cara quando o ônibus sopra aquela fumaça preta. Bebemos água filtrada, passamos álcool no dedinho inflamado, gargarejamos com sal quando a garganta rateia, corremos ao hospital quando desembarca no aeroporto um novo vírus de gripe, todo ano chega um de impermeável e chapéu. Ô meu Pai, quanto esforço e despesa se canaliza na luta para manter o coração em boa forma, em boa postura porque senão a coluna, compreende? Massagem. Ginástica. As novidades rejuvenescedoras: tempo de correr, tempo de sentar. Quilos de vitaminas, litros de poções, mesmo os que parecem distraídos estão atentos, fingem uma displicência de superfície porque no particular, hein? Pomadinhas. Lenimentos, cresci ouvindo minha mãe falar nos lenimentos. Tantas bulas, tantos doutores, tantas barbas: Magnésia Fluida do Dr. Murray, uma colher de chá para as damas de estômago delicado, as damas eram delicadíssimas. Talco do Dr. Ross para odores, frieiras. E a Maravilha Curativa do Dr. Humphreys. Um imenso leque de indicações, desatei a falar tanto nesse medicamento que meu filho cresceu ouvindo esse nome, era um menininho ainda e veio me dizer quando perguntei quem tinha tocado a campainha, "É o doutor Humphreys que quer falar com você".

Da Vocação

Na vocação para a vida está incluído o amor, inútil disfarçar, amamos a vida. E lutamos por ela dentro e fora de nós mesmos. Principalmente fora, que é preciso um peito de ferro para enfrentar essa luta na qual entra não só o fervor mas uma certa dose de cólera: fervor e cólera. Não cortaremos os pulsos, ao contrário, costuraremos com linha dupla todas as feridas abertas. E tem muita ferida porque as pessoas estão bravas demais, até as mulheres que eram umas santas, lembra?

Costurar as feridas e amar os inimigos que odiar faz mal ao fígado, isso sem falar no perigo da úlcera, lumbago, pé frio. Amar no geral e no particular e quem sabe nos lances desse xadrez chinês imprevisível?!... Ousar o risco. Sem chorar, aprendi bem cedo os versos exemplares, *Não chores que a vida/ é luta renhida. Viver é lutar.* Lutar com aquela expressão de criança que vai caçar borboleta, ah, como brilham os olhos de curiosidade. Sei que as borboletas andam raras mas se sairmos certos de que vamos encontrar alguma... O importante é a intensidade do empenho nessa busca e em outras. Falhando, não culpar Deus, oh! por que Ele me abandonou? Nós é que O abandonamos quando ficamos mornos. Quando a vocação para a vida começa a empalidecer e também nós, os delicados, os esvaídos. Aceitar o desafio da arte. Da loucura. Romper com a falsa harmonia, com o falso equilíbrio e assim, depois da morte — ainda intensos — seremos um fantasminha luminoso.

Signo de Áries

“Você está sempre indo de um lado para outro, você não para, mas afinal, do que você está fugindo?”, perguntou Hilda Hilst. Riu. “Seja o que for essa coisa da qual você está fugindo, acho que ela não vai te alcançar nunca.”

A Moda do Diabo

Jamais fazer o jogo dele que é o de negá-la neste nosso tempo que é o Tempo de Provação. Apareceu pela primeira vez sob a forma humana no século VI e foi Dom Cabrol (nome meio suspeito) que o descreve em seu dicionário como sendo um homem alto e corpulento de traços simples, um tanto rudes. A boca carnuda e o nariz forte fazem pensar num camponês de caráter voluntarioso embora não pareça animado de qualquer má intenção. O sorriso irônico — ele é sorridente — seria seu único toque de malícia.

Na descrição do Padre Simenon ele é uma bela e opulenta mulher de boca vermelha como um talho. E olhar enevoado, aquela névoa de fundo de abismo que vem subindo e nivelando de tal modo o chão que cavalo e cavaleiro, no trote da inocência, se despencam na boca sem socorro, ai! malvada. Já em outras ocasiões o Diabo prefere aparecer sob a forma de uma criança negra, evidente o duplo preconceito do padre: sexo e raça. Satã pode ser um negro. Ou uma mulher, a própria Porta do Diabo, na definição do polemista Tertuliano. Em algumas ocasiões ele tomaria ainda a forma de um belo mancebo de cabelos louros e olhar demorado: o Anjo Sedutor. Na hora em que as mulheres castas se deitam (as perdidas já estão perdidas) ele canta brandamente ao som de um bandolim, a música é necessária. Descerra em seguida o reposteiro (século xviii) e com seus dedos polpudos, num gesto irreal de tão suave, começa a carícia na face, resvala a carícia para o pescoço, para o lóbulo da orelha esquerda e em voo certeiro, para o seio que se contrai sob a cambraia da camisola fechada, tantos botões. Mas ele prefere botões ao zíper inventado bem mais tarde, botão é mais sensual porque mais difícil, uns botõezinhos severos que ele contorna, alisa antes de arrancá-los bruscamente das suas casas, rua! Ela reage. Mas o que é isso?! e ofegante, querendo dificultar, acaba por ajudá-lo, mas que dedos são esses que agora avançam livres no despenhadeiro, vou gritar, desmaiar, acenda a vela! ela quer ordenar e apenas suspira porque os dedos do Anjo Sedutor já chegaram à meia-lua do ventre na carícia circular que vai se espiralando, o hálito escuro num sopro de fornalha sob o linho dos lençóis.

Esse Anjo Sedutor seria a mesma Mulher-Diaba que com seus fartos peitos e cabelos desatados, toda untada de óleo de rosas, ia atormentar os velhos monges de olhos revirados no esforço agudo da resistência, as rezas se engrolando nas bocas murchas. *Miserere nobis!* Eles repetem enquanto os corpos encarquilhados vão se umedecendo nos perfumes, mas como uma só mulher pode cheirar tanto? Cheira. E destila mel a ponta da língua rosada que sobe e desce infatigável, tarefa árdua da Mulher-Diaba pesquisar as quase extintas zonas erógenas dos ascetas de pele de jacaré. Chegam a se iludir, daqui a pouco ela se cansa e desaparece assim como apareceu mas no coração eles sabem que a Serpente tem pela frente a eternidade, Ai! me ajuda, minha mãe, meu pai, meus primos! gemem os velhos insones, a tentação se enleando na memória do que foram. E do que poderiam ter sido, o mais sábio, o mais belo dos anjos. Mas atenção, muita atenção para os pés dos moços pois esses pés caprinos (ou de sapo) podem indicar as obscuras origens. Variedade de formas. De nomes: Satã, Demônio, Diabo, Adversário, Príncipe do Império do Ar, Maligno, Belzebu, Serpente, Príncipe das Trevas, Mefistófeles, Lúcifer — ah! impossível contá-los. No Evangelho de São Marcos, ao ordenar que o espírito maligno saísse de um homem endemoninhado, Jesus perguntou-lhe pelo nome. "Legião é o meu nome porque somos muitos", ele responde. *Meu nome é Legião.*

Jean Wier, um demonologista inconformado com essa resposta, resolveu pesquisar e o resultado foi alarmante: há sessenta e dois príncipes trevosos e sete milhões e quatrocentos e cinquenta mil assessores diretos, os diabinhos ou capetinhas, executores de tarefas menores.

As estatísticas. Que o Abade Sereno rejeita porque jamais chegarão elas a um número sequer aproximado da multidão de maus espíritos que transitam livremente entre este planeta enfermo e o céu. Tantos são eles, mas tantos e tão atuantes que chega a ser da maior conveniência que permaneçam mesmo invisíveis. Com o que concorda Platão, um cético na contagem dos *daimones* aéreos e subterrâneos — volantes em disponibilidade e tão numerosos quanto os residentes fixos, instalados em nós.

Encerrados no inferno? Que esperança! Sabe-se que antigamente a morada dessa corte era o deserto, tinham eles verdadeira paixão pelas areias escaldantes. Mas já faz tanto tempo que se transferiram para as cidades, satanizando os frágeis filhos de Deus por demais desgastados, tanta gripe. Tanta chateação. Areia é quente mas o corpo humano é mais macio do que areia. Com a vantagem de ser mais divertido.

Satanificação

A Ira, a Soberba, a Inveja, a Luxúria, a Avareza, a Gula e, finalmente, a Preguiça, o sonolento Demônio do Meio-Dia — esses os Sete Pecados Capitais que já podem ser identificados na satanificação, isso de acordo com o local e hora. Os diabinhos da Ira estão no trânsito, olhos injetados de fumaça e ódio, a boca espumejando no ranger dos dentes e freios: seis horas da tarde, Hora da Ave-Maria, lembra? Tinha um quadro que vi em várias salas de visita da minha infância: no doce colorido do crepúsculo, um grupo de camponeses bem-vestidos e rosados, as mulheres de longos aventais e toucado, os homens de sapatões rudes mas sólidos, as mãos limpas, os olhos baixos no fervor da prece por entre os montes de feno dourado, *Ave-Maria* — acho que era esse o nome do quadro. Lembro que tinha um bebezinho louro num cesto ou berço de madeira, queria eu ser aquele bebezinho, pensei na tarde em que vi numa esquina um tipo descer do carro (ao lado do meu) e verde e aumentado em sua cólera apontar o revólver para um velho que teria propositadamente amassado o seu para-lama. Hora de vítimas de desastres da fuzilaria, as armas esperando no porta-luvas, que luvas? Hora de vítimas dos assaltos, quando o carro para no sinal vermelho e outro vermelho brota do peito. Na nuca. Tinha um antigo programa no rádio nessa hora crepuscular, as músicas tão espirituais, minha mãe chamava a gente para rezar junto, só pensamentos elevados enquanto o chefe de família — mas que família? Que chefe?

Os possessos da Soberba evitam aglomerações, as misturas. Portas fechadas, o horror da invasão. Dos nivelamentos. Gostam das reuniões sociais seletas mas espaçosas, onde os peitos estufados, cobertos de medalhas, iniciam a lenta dança dos pavões — poder político, poder econômico e outros poderes, varetas dos leques que se cruzam mas não se olham, o que digo? se olham para admirar a própria imagem refletida no olho do outro. Já os possessos da Inveja têm especial predileção pelos palácios burocráticos e centros de artistas do Baile das Quatro Artes, ô! Deus, como sofrem os invejosos na luta competitiva à qual são condenados, os olhos cozidos como os olhos das lagostas em água fervente, Sou Caim matando meu irmão? Sou Judas traindo o meu Mestre? O invejoso só tem trégua com a infelicidade do próximo. Por que será que no lugar desse próximo aniquilado nascem dez, vinte vencedores?! Um sofrimento. De todos os pecadores, talvez o invejoso seja o que mais sofre embora os possessos da Luxúria também rodopiem sem descanso, as *injúrias* (era assim que minha pajem chamava às partes baixas) açuladas e trespassadas pelos garfos dos diabinhos luxuriosos, a voz pesada, o olhar pesado — tantas ruas do prazer e o desprazer da insatisfação. Os estímulos da indústria do sexo no auge do aperfeiçoamento para o *desempenho à altura* e ainda a ansiedade, o desassossego na busca que é só obsessão, Sou caçador? Ou caça? Mas essa gente não pensa noutra coisa? perguntaria tia Pombinha diante de uma banca de revistas. Pensa, sim. Pensa muito em acumular e agora as casas e caras tomam um ar respeitável, estamos entrando na rua dos bancos e dos negócios:

eis a Avareza com seus demoninhos de olho vivo, umedecendo a ponta do dedo entortado de tanto contar dinheiro, medo de dar, medo de dividir. O medo dos medos: medo de perder, ih! como acumular tudo numa vida assim provisória? "Mas por que o desperdício dessa vela acesa?", reclamou o avarento que preferiu morrer no escuro. Quanto aos possessos da Gula e da Preguiça, esses se espelharam tão intensamente: os da Gula nos bairros ricos de preferência, não por virtude dos pobres mas por simples insuficiência econômica. Se a beleza (que os luxuriosos amam) virou artigo de luxo, a comida só pode ser um belo vício nos bairros de classe A. É por acaso que falo nos dois pecados assim juntos porque o preguiçoso nunca é um guloso. A gula exige empenho, imaginação do apetite. Mastigar cansa e esse dispêndio de energia o preguiçoso evita, prefere papinhas, líquidos. Quando o guloso chega à saciedade e não está saciado (nunca está) mete o dedo na garganta, quer recomeçar tudo. Mas eis uma violência que o preguiçoso detesta: o ato de vomitar. Ou antes, que não aprecia porque ele não odeia nem ama, a paixão é laboriosa, exige fervor e o preguiçoso nunca esquenta. É morno. Não se define nem define: contorna. Na imobilidade se defende dos prazeres da cama e da mesa. No alheamento que chama de privacidade, se guarda. Música suave, que não seja solicitante. Pessoas que não façam perguntas, ele que nem sequer termina as frases, os gestos. A graça das coisas incompletas no ar... Vem a mosca obumbrada, pousa na sua face e ele afasta a mosca com um movimento brando mas quando ela volta uma segunda vez ele deixa ficar deixa ficar deixa ficar...

Em Guarda

Abro uma antiga mala de velharias e lá encontro minha máscara de esgrima. Emocionante o momento que púnhamos a máscara — tela tão fina — e nos enfrentávamos, mascarados, sem feições. A túnica branca com o coração de feltro vermelho, em relevo no lado esquerdo do peito, "Olha esse alvo sem defesa, menina, defenda esse alvo!", advertia o professor e eu me confundia e o florete do adversário tocava reto no meu coração exposto.

Padre Antônio Vieira

Releio alguns trechos "Do Amor", do Padre Antônio Vieira, e vou me enrolando nos panejamentos barrocos, fico esférica, subo em espiral. Anoto: "O amor deixará de variar se for firme, mas não deixará de tresvariar se é amor".

Fragmento da Carta à Mãe em Prantos

Me lembro que ela era quase uma menina impregnada de um certo halo de fragilidade e amor. Saía de uma aula da Faculdade, o suéter e os dedos sujos de tinta, "Minha caneta estourou", disse. "Estava aqui no bolso e de repente fez puff! não é estranho?" E mostrou a nódoa azul no peito do suéter vermelho. Aconselhei-a, não usasse mais a caneta naquele bolso bem na altura do coração, o calor ali era excessivo, capaz de fundir acrílicos, metais — todas as canetas acabariam explodindo.

Ela riu com a alegria meio irônica de uma criança amadurecida. O vento despenteava seus cabelos luminosos (havia sol) mas seu olhar secreto tinha o tom verde-lilás de violetas e folhagem — essa a lembrança que me veio da sua filha quando soube que tinha morrido num acidente. Resisti à ideia da sua morte como resisto sempre ao impacto da notícia absurda, crueldade sem explicação, Não! não pensei em você mas nela que se preparava com uma alegria selvagem para cumprir seu tempo de vida. Mas seu tempo era esse que lhe foi prometido e em seguida tirado?

A manhã de sol. Num acidente? fiquei repetindo e meu primeiro movimento foi de resistência. Me vieram os versos do poeta: *Dentro, lá dentro das trevas da morte/ vão ter o belo, o meigo, o bom./ No silêncio do nada/ vão desaparecer o inteligente, o gracioso, o forte./ Eu sei. Mas não aprovo. E não estou resignada.*

Tentativa de consolo com a lembrança do pássaro que vi cair em pleno voo, tão perfeito era o seu equilíbrio, tão harmoniosa a curva da asa. E a morte estourando o pequeno coração como estourou aquela caneta, o suéter vermelho de amor. E a tinta vazando. Morreu em ascensão, disse para mim mesma. Morreu em estado de graça, repeti sem a menor convicção, as palavras bem formadas procurando ajeitar a morte desajeitada.

Curioso é que o apaziguamento só me veio de você que é a mãe, porque só em você comecei a reencontrá-la — fragmentos daquela imagem estilhaçada se buscando e se encaixando até compor a peça única. Foi o que tentei dizer-lhe, então não vê? sua filha está em sua carne e além dela, essência indestrutível que se revela no úmido dos seus olhos, nesse simples gesto com que há pouco você arrumou o cabelo — não, ninguém morre. É que os mortos são discretos. Tão silenciosos. Os braços do éter, a voz da aragem. Habituada ao mundo visível, você se desespera com a aparente ausência, quer tocá-la e não consegue atingi-la — ô Deus! — estou tateante porque as palavras são difíceis e a morte, fácil. Mas espera, tinha um doce com um nome que nunca entendi o que queria dizer: *nozes fingidas*. Mas o que eram essas nozes fingidas? Sei agora, as nozes fingidas têm só aparência, imitação da noz sem a noz. Assim como a rosa fingida é a imitação da rosa sem a rosa e os mortos fingidos, a imitação da morte sem a morte. Queria dizer ainda...

Omsk

Nas estepes siberianas fica a cidade de Omsk. No inverno ela é batida pelos ventos em meio de densas tempestades de neve. No verão, desabam sobre ela as tempestades de areia. Rude e desataviada, é uma característica cidade de fronteira com suas construções de pedra e ruas sem asfalto, pelas quais passam caravanas de camelos. Banham-na os rios Om e Irtych. Especialidade da terra? Peles, tecidos e cereais, peles principalmente, "Deus dá coberta para quem tem frio".

Estou em Omsk. O aeroporto abriga estranhas gentes de falas estranhas, estou perdida no mapa. Só no mundo. Há alguns homens vestidos à moda europeia mas a maioria usa pesados casacos de couro, gorros de pele e botas. Muitos bigodes, não o bigode ocidental mas aqueles vastos bigodões com o mesmo aspecto eriçado do vento. As mulheres são fortes, quadris largos. Ombros largos. Os pés grandes. Vestem-se de escuro (é outono em Omsk) e usam na cabeça o clássico lenço atado sob o queixo. Meias grossas. Sapatos sólidos, de tacões baixos.

É noite e o vento que sopra faz estremecer o vidro das janelas. Sibéria, estou na Sibéria. Para essas lonjuras o governo russo mandava exilados políticos e prisioneiros de crimes comuns, condenados a trabalhos forçados. A Sibéria de Dostoiévski retratada implacavelmente nas *Recordações da Casa dos Mortos*. No soturno presídio atrás de uma muralha, no extremo de uma cidadezinha siberiana — seria Omsk? O próprio Dostoiévski estivera encarcerado quatro anos como prisioneiro militar. E prosseguem os exílios e perseguições por crimes de opinião. Os dissidentes. Afastar as vozes discordantes para as paragens onde a voz do vento é mais forte, ô Deus! a tragédia do homem se resumirá nisso, em repetir os mesmos erros, os mesmos erros sempre? A vontade aguda, a esperança de um caminho novo. Diferente. As revoluções dentro e fora do homem, desafios que ele assume porque esse é o seu destino, o seu papel desde a primeira forma de Adão. A busca da felicidade na luta desse caminho, ele quer ser feliz. E a descoberta de que está pisando ainda nas mesmas pegadas que renegou, insatisfeito e aflito como o viajante perdido na floresta: anda, anda sem parar à procura de uma saída e quando pensa que está salvo, descobre que andou em círculos porque a árvore na qual deixou a marca do início é a mesma que reencontra no fim da evasão.

A Mulher de Omsk

Visto todos os abrigos que descubro na mala e por cima de todos o casacão que tem nome intraduzível na perfeita definição de Dona Carolina, que foi a minha sogra: *cache-misère*. As malhas são descombinadas mas o casaco tem a missão de escondê-las, isso se não fossem assim grossas, o casaco reage e estouram dois botões. Peço à mulher do toalete (estou no toalete do aeroporto) que me arranje uma agulha com linha. A linguagem das mãos. Gesticulo e acho elegante o movimento que faço com a mão direita, costurando o espaço com uma agulha invisível na ponta dos dedos, chego ao requinte de imitar o movimento coleante da ponta varando o tecido. A mulher de olhos azuis e nariz vermelho fez um gesto, um momento! Saiu e voltou em seguida, triunfante, com a agulha e o carretel de linha preta. Ofereceu-me um banco, sentou-se na minha frente e ficou muito atenta enquanto eu pregava os botões. Chegou uma mulher mais jovem e mais baixa, as faces queimadas de frio, cabelos louros presos numa grossa trança no alto da cabeça, como um diadema. Trouxe duas grandes canecas de chá fumegante. Ofereceu uma caneca à companheira e assim que terminei de pregar os botões me estendeu a outra caneca e saiu rapidamente. A mulher sentada diante de mim soprou a fumaça do chá, sorriu e apontou a caneca, que eu bebesse, estava bom, não estava? Fiz que sim com a cabeça e ficamos as duas ali em silêncio, uma olhando para a outra e bebendo o chá em pequeninos goles. Apertam-se seus olhinhos azuis numa expressão de afetuosa curiosidade e me fazem perguntas, mas quem eu era? De onde vinha e para onde ia?

Tinha cara de Alexandra Petrovna. Fechei as mãos em torno da caneca, no mesmo gesto dela e meus dedos aquecidos foram ficando vermelhos, quem eu era e para onde ia? Difícil responder isso, Alexandra Petrovna, difícil! Era evidente que se tratava de uma mulher de uma só língua e essa era tão inacessível quanto a linguagem do vento soprando lá fora. O bem-estar que vinha do chá quente foi se alargando em mim num sentimento de libertação por me ver assim sem nome e sem passado diante daquela desconhecida. Como se tivesse acabado de nascer, não era estranho? a impossibilidade da comunicação através da palavra nos aproximava ainda mais. Lembrei-me da pergunta odiosa, frequente no Brasil e decerto em outros países, a natureza do homem é parecida em qualquer idioma: "O senhor sabe com quem está falando?".

Ninguém sabe, ninguém. Na Sibéria ninguém sabe de nada, inútil tirar do bolso o cartão de deputado, as condecorações, os louros. Para a Sibéria deveriam ser mandados os narcisos em delírio num pequeno estágio de humildade. Os ventos passam, os homens passam e ninguém sabe.

O seu chá estava excelente, Alexandra Petrovna — eu disse devolvendo-lhe a caneca e a agulha. Levei a mão ao peito, na altura do coração, uma delícia de chá. Ela prendeu a agulha na gola do casaco. O gesto era eterno, todas as mulheres do mundo tinham gesto igual ao receber uma agulha e sem saber no momento onde guardá-la: na gola do casaco.

Pousou a mão no meu ombro, à maneira de despedida. Sorriam brilhantes os olhinhos numa expressão fraterna. Adeus, Alexandra Petrovna. Levo no meu casaco um pouco de linha siberiana.

Laranja-da-china

Eu sabia que *laranja-da-china* era apenas uma laranja maior do que as outras. Assim como *negócio da China* era também um negócio graúdo, importante, "Hoje fiz um negócio da China!", ouvia meu pai dizer. Onde fica isso? perguntei e alguém respondeu que ficava tão longe que dá a volta no globo o caminho para se chegar lá. E quem está lá, fica exatamente de pé em cima da nossa cabeça. "É tão longe, menina, mas tão longe que quando aqui é dia, lá é noite. Quando vamos dormir aqui, lá estão acordando." No meu atlas encontrei apenas uma vasta zona pintada de amarelo e muito difícil de ser desenhada.

Depois, já adolescente, fui conhecendo a China através do cinema americano: uma China encardida, miserável com sua gente de cara inexpressiva correndo pelas ruas como formigas assustadas de um formigueiro onde alguém afundou o pé. Chegava a heroína vaporosa e loura com seu vestido de musseline e sombrinha transparente, transportada pelo homem do riquixá sorridente e falso, o anti-herói pertencente a uma rede de espiões envolvidos em ópio, mercado de brancas, contrabando de ouro — a ralé desbaratada pelo oficial americano disfarçado de repórter e se saindo maravilhosamente das ciladas e golpes armados em quartos de hotéis com paredes falsas e camareiros mais falsos ainda, escondidos detrás de biombos de madrepérola. Já na metade do filme os amarelos iam caindo como moscas, um punhal também amarelo cravado até o cabo nas costas enquanto a heroína frágil porém corajosa acabava sendo salva pelo oficial corajosíssimo que a levava de navio para longe das terras malditas.

Isso no cinema. Na literatura amarela, os mesmos vícios: contrabando e prostituição com intrigas mais complexas nos romances de Vicki Baum e mais sentimentais e bem-arrumadas nos livros de Pearl Buck. Mares da China. Tinha sempre um branco chegando com seu terno branco impecável. E que logo era corrompido pelos donos dos antros fumacentos como o inferno e onde ele esquecia a família e os companheiros de golfe, a roupa já enxovalhada, a barba crescida, seduzido pela dançarina de unhas recurvas e olhos de amêndoa, a adaga escondida no corpete de brocado. Esse e outros personagens tinham que morrer para destaque e glória do herói que entrava dentro de um Buda de ouro e saía pela porta do fundo levando inviolado o segredo inglês cobiçado por metade da população amarela e mais o dono do hotel.

Aprendi depois, fora da ficção, que em certos aspectos a realidade não estava muito longe das imagens dos cineastas e romancistas. A população era de fato densa o quanto pode ser densa uma população. E ignorante, viciada no ópio — da maior conveniência o analfabetismo e o vício para manter o povo desfibrado, apático. As contradições: não comiam mas tinham garantida sua cota-parte da droga.

E os mandarins de cetim? E os palácios de marfim e jade? Realidade também mas para cada palácio havia mil casebres com seus habitantes amontoados, imundos, assolados por epidemias, inundações, lutas internas. A obscura face da medalha que só interessava ao cinema e à literatura como bons temas de atração, mais nada. Romanticamente eu preferia essa face requintada, abominável na sua alienação mas de aparência limpa, a burguesia só dá importância à aparência.

Confissões de Santo Agostinho

“Tarde eu te amei, beleza tão antiga e tão nova. Eis que habitavas dentro de mim e eu lá fora a procurar-te!”

Pequim

Olho ansiosamente em redor para ver se distingo as famosas muralhas de doze metros de altura que circundam a cidade. Mister Wang então me diz num francês misturado com espanhol e reminiscência de chinês que as muralhas ficam distantes do centro, iríamos vê-las um dia.

Pe-King, capital do Norte. Desde 49, proclamada uma república pela revolução de Mao Tsé-tung. Piso nas largas ruas da capital vermelha da Ásia. Bandeiras, lanternas, flores de papel, balões — decoração dourada e rubra nas fachadas das casas e nos edifícios públicos para as festas de 1º de outubro. O vento brando agita as bandeiras e faz farfalhar a folhagem das árvores. As árvores chinesas, tão parecidas com a arte chinesa, principalmente com o desenho: os troncos delicados, frágeis, laboriosa a sinuosidade da folhagem de ouro em miniatura, é outono. Penso nas árvores do Brasil, exuberantes, violentas como se nas raízes não corresse a simples seiva mas o próprio sangue latino. Um sangue quente. Mister Wang vai falando e é como se eu tivesse uma daquelas pequenas árvores caminhando a meu lado, o tronco fino, um tanto esquivo, a folhagem trabalhada: é um bom guia, discreto na sua amabilidade, orgulhoso dessa nova Pequim que de certo modo se divide em quatro partes: a cidade central, onde viveram em outros tempos os imperadores no Palácio Imperial. Mais para o sul, a cidade chinesa e que foi antigamente o âmago de Pequim com seu ramificado comércio e antros de prazeres. A cidade industrial a leste com suas principais fábricas, bancos e grandes blocos de habitações para operários. Na parte oeste, a cidade das universidades, dos novos hospitais e escritórios administrativos. Nesse bairro fica ainda o jardim zoológico e o Palácio de Verão, residência da última imperatriz e transformado hoje num parque cultural aberto ao povo. Lá está também o túmulo dos Mings, fundadores da cidade. No dia do meu embarque, o meu menino quis saber se na China tinha muito chinês. Vou responder num postal: alguns.

Hotel Chein-Mein

Meia-noite. Helena Silveira está com saudades dos filhos. Do analista. O que estaria fazendo sua gente nesta hora? pergunta e eu me pergunto como funcionará a pequena alavanca da janela que não consegui fechar — um verdadeiro enigma as janelas do Hotel Chein-Mein. Tem tantos outros mistérios, difícil para um ocidental entender esse jogo. Mexo ainda na alavanca que tem seu segredo e me volto para Helena que já se prepara para dormir: dobra o lenço preto para cobrir os olhos como os condenados à morte no paredão, Com ou sem venda? Estamos cansadas — o dia foi intenso — mas vamos nos aproximando desse xadrez chinês. Pergunta-me se quero dizer-lhe alguma coisa antes de tapar os olhos, vai ficar incomunicável. Desejo-lhe uma linda noite e me debruço na janela. A insônia. A praça deserta, nenhum boêmio. Nenhum gato. Nenhuma prostituta. Logo mais vai começar o movimento das bicicletas dos trabalhadores, acordam de madrugada e já saem bicicletando, não são os carros os donos do asfalto mas as bicicletas. E os triciclos, substitutos dos antigos riquixás que exigiam dos condutores um esforço excessivo, ou ficavam tuberculosos ou morriam ainda jovens de lesões cardíacas.

Pe-King. Visitaremos amanhã a Cidade Proibida com seus gramados, quiosques e pavilhões de tetos arrebitados, os leitos de marfim e jade reservados às concubinas dos imperadores. Passaram os imperadores, passaram as concubinas, ficaram as escadarias de mármore e as colunas que contam histórias nos baixos-relevos. Em seguida, os visitantes irão a Shangai. Visitantes que voltam dizendo maravilhas ou dizendo horrores: ou são tomados do delírio bajulatório ou do ódio preconceituoso que já existia antes da viagem, na hora mesmo em que o convite era aceito. Serei justa na minha avaliação? Prometo a mim mesma suspender o juízo quando não entender alguma coisa e fico sorrindo para a alavanca da janela. Olho o céu luminoso. Tento imaginar de que lado estaria o Cruzeiro do Sul e penso na gravura do cavalo negro que vi numa vitrine, gostaria de levar comigo aquele cavalo.

Shangai

Sinto o perfume quente do chá de jasmim. Shangai. Shangai com *S*, a sinuosidade da letra é indispensável como porta do nome da cidade que mais estimulou a minha imaginação. Tentaram despojá-la do seu mistério, da sua lendária corrupção — limpá-la do passado dourado e vermelho. Conseguiram? Ainda não, a revolução popular tem apenas dez anos, é cedo. Ainda está impregnada, sinto na sua pele essa impregnação como se sente na pele de um viciado em tratamento, ele está se recuperando, sem dúvida, mas de vez em quando, na fala... no olhar que fica enevoado... Pequim é uma cidade reta, rígida um pouco como um quartel sem soldados, não vi soldados mas senti a disciplina no povo uniformizado, calça e túnica azul, boné. O corte rente do cabelo, esse corte é obrigatório por motivos de higiene, a população da antiga China estava perdida de piolhos. Outro detalhe: muita bandagem em qualquer pequeno corte ou ferida, numa quase obsessão de desinfetar um povo que foi assolado por toda sorte de epidemias e infecções transmitidas por piolhos e ratos.

Minha razão admira essa Pequim que simboliza a luta dramática da República Popular, dentro de um clima que chega a ser místico. Mas meu coração se inclina para essa Shangai sumarenta e viciosa na sua inocência, *fleur du mal* que se abre quando anoitece — Não, Mister Hom Tim-Tim, não quero ouvir o coral universitário, quero vagabundear pelas ruas, pelas lojas, pelo porto coalhado de embarcações que vão se acendendo quando começa a anoitecer, tão belo é o porto quando começa a anoitecer, as luzes dançarinando nas águas, estou corrompida.

Histórias

Achille-Cléophas Flaubert, pai de Gustave Flaubert, reunia os filhos todas as noites para contar-lhes histórias, podiam desabar os maiores imprevistos mas a hora mágica era preservada. A dura infância de Machado de Assis era doce quando a Madrinha contava suas histórias. As crianças não ouvem mais histórias? Eram crianças que se sentavam em redor do pai, da mãe ou da avó e ficavam ouvindo histórias de gnomos da floresta e fadas, gigantes e princesas que falavam e saíam da boca rosas e pérolas. Das bocas das princesas ruins, saíam cobras e sapos. Histórias do Arco-da-Velha — nunca mais? O imaginário se desenrolando como uma fita cintilante. As crianças não sabem mais inventar? Ficam paradas diante da televisão, vestem a roupa-padrão do Super-Homem e apontam para os adultos suas metralhadoras de plástico.

A Criação Literária

O preço da criação literária seria mesmo o sofrimento? Penso na minha experiência e lembro que justamente nos instantes mais agudos das minhas atribulações eu não consegui escrever uma só palavra. Mesmo depois, na convalescença, se vinha a vontade, faltava a energia, o movimento era apenas da alma. Olhava para a minha mesa como alguém com sede fica olhando um copo d'água: quer beber mas fica rodeando o copo, faz outras coisas antes e embora pense o tempo todo na água, não faz o gesto para alcançá-la. Não sei dizer se os frutos colhidos mais tarde (alguns até doces) teriam vindo dessa figueira-brava.

Hotel da Paz

Estamos no hall do Hotel da Paz, tomando chá com perfume de eucalipto e ouvindo Mister Hom Tim-Tim falar de um tempo antes da Revolução, quando a cidade de Shangai era dominada pelo imperialismo francês e inglês. Tanto os negócios limpos como os negócios sujos eram totalmente controlados pelo estrangeiro, dono do contrabando de ópio e de pedras preciosas. Senhor da máquina da prostituição e da jogatina. Era intenso o movimento nos antros de jogo, ah! os quatro grandes centros só de corridas de cães. Não entendi o que poderiam ser essas corridas e Mister Hom Tim-Tim explicou que o público (inglês, francês e norte-americano) fazia apostas milionárias, açulando a cachorrada que corria pela pista cheia de curvas e obstáculos, perseguindo um coelho mecânico.

Fiquei sabendo também de um episódio que me perturbou: Bernard Shaw, de passagem pela cidade, hospedara-se neste hotel e quisera conhecer Lu-Sin, considerado o maior escritor do país. Convidou-o para vir ao hotel onde jantariam juntos. Conduzido por dois amigos (ele era quase paralítico) com grande dificuldade Lu-Sin chegou para o encontro. E o chinês recepcionista impediu-o de entrar, era proibida a entrada de visitantes chineses. Lu-Sin ficou em silêncio, olhando para o recepcionista. E pediu aos dois amigos que o levassem de volta para casa.

"Eu não estaria aqui neste hotel, tomando chá", disse Hom Tim-Tim pousando a caneca de porcelana azul. "Antes da Revolução, eu teria que esperá-las na rua."

Não consegui dizer nada.

Ele Era Poeta

Colho no caminho a folha ferruginosa de uma árvore anã e guardo-a dentro do livro de poesias de Mao Tsé-tung, cada membro da delegação recebeu um exemplar. Mister Wang viu meu gesto e continuou imperturbável mas, antes de entrarmos no centro cultural de estudantes me ofereceu uma folha rara de um outro tipo de árvore: fez a leve mesura e avisou, "Para a vossa coleção". Os chineses. Procuro imaginar o que estarão pensando a nosso respeito e me perco nas ideias, estou perplexa, minha cabeça gira — o clima? O prédio onde hoje funciona o centro cultural foi o maior bordel da cidade. E o mais luxuoso, só frequentado por estrangeiros. Enquanto os jovens de cara limpa tocam seus instrumentos e cantam as novas canções heroicas de esperança e fé no regime, vou percorrendo com o olhar o vasto salão: por mais que tentassem fazer desaparecer as marcas infamantes, sempre ficou alguma coisa desse tempo nas portas frívolas. No lustre luxurioso do teto com suas florinhas de porcelana enroscadas nos pingentes de cristal. Apesar das vozes agudas, pode-se ouvir o vento brando soprar os pingentes que batem uns nos outros num tlim-tlim de taças. Me fixo nas paredes forradas de veludo vermelho, um vermelho tão violento. Descubro um furo negro no veludo, alguém apagou ali um charuto.

Nem Cachorro, Nem Chinês

Durmo acordada feito o dragão de goela vermelha que vi no alto de uma escada de mármore. Tinha uma bola dourada presa entre os dentes, seria o mundo? Abro a Bíblia: Gênesis. Como não acreditar na hereditariedade? A herança que recebemos de toda essa gente que nos antecedeu se diluiu no éter? A começar pelos nossos pais expulsos do chão de ervas tenras para o chão de urzes e víboras — desapareceu essa herança de insegurança e medo? Quero acreditar que o homem é livre e vejo na história do homem os mesmos erros se repetindo inexoravelmente. Queria estar convicta, como Sartre, de que os personagens da ficção devem ser livres, nunca atrelar seus passos a um destino que significa uma prévia condenação. Mas não são esses personagens feitos à imagem e semelhança do homem? Para escapar do chão deslizante do medo, o homem precisa do poder. Então recomeça tudo outra vez.

O homem esquece. Cicatrizada a ferida, ele repete no próximo (talvez no mesmo lugar) o ferimento que sofreu na carne e além dela. O escritor Lu-Sin foi proibido de entrar no hotel da sua cidade porque nesse hotel (dirigido por um chinês) só podia entrar chinês na condição de serviçal. Lu-Sin morreu. Lembro agora o gesto inesperado de Mister Wang me oferecendo a folha da árvore para a minha coleção. Volto a Sartre: o homem é imprevisível e se é imprevisível, é livre, aposto nesse homem. Um novo Lu-Sin jamais colocará um dia na porta do seu importante hotel em Shangai o mesmo aviso: *Proibida a Entrada de Cachorros e Chineses.*

Nossos Campos Têm Mais Flores

Nunca senti a vida monótona, nem mesmo quando frequentava a escolinha das freiras dirigida por Madre Mônica. Todas se vestiam igual, os chapelões engomados com a mesma proa dos veleiros, as almôndegas com o mesmo gosto dos quiabos. E que variedade! As poesias que a gente devia decorar para as festas também eram sempre as mesmas, versos que dizem que nosso céu tem mais estrelas, nossa vida, mais amores. E os campos. Não menciona nossas ruas, não menciona essa Rua Barão de Itapetininga (um brasileiro ilustre) onde roubaram minha carteira e meus documentos. Entro na fila infinita da papelada e a fila avança num silêncio tão conformado que chega a ser inquietante. Uma virtude raríssima se desenvolve no nosso povo, virtude modesta como uma flor miúda que ninguém plantou e à qual ninguém dá atenção: a paciência. Vejo as caras concentradas das pessoas que já vieram ontem e terão que voltar amanhã e penso que o paulistano é antes de tudo um forte. Mas cansado.

Kafkandura

Meu colega de olhos pálidos e mãos úmidas foi quem me falou sobre Kafka pela primeira vez. Eu terminara o ginásio e me preparava para os vestibulares, uma jovenzinha que já tinha lido alguma coisa da literatura brasileira mas a literatura universal era universal demais! Tantas chaves, tantos nomes que o professor do cursinho ia ditando e escrevendo, a mão delirante perseguindo o giz naquela lousa que não acabava mais, começava na parede da frente, continuava ao lado e quando eu dava acordo de mim, lá estava ele na lousa da retaguarda a abrir novas chaves com as subsubchaves. Dentro de uma delas, o nome do autor fácil de guardar mas difícil de ler: Franz Kafka.

O colega de olhos pálidos convidou-me para entrar na leiteria, era moda convidar as meninas para as leiterias. Pedi um suco de uvas, ele pediu uma coalhada. Lembro que suas mãos tinham o mesmo tom vagamente esverdeado do soro em cuja superfície flutuavam os coágulos de leite. Abriu o caderno. Fiquei estraçalhando nas unhas o canudinho de palha enquanto ele falava sobre o judeu estranhíssimo que tinha nascido em Praga, que escreveu em língua alemã e morreu tuberculoso num sanatório próximo de Viena.

Praga! Eu repeti como num sonho, localizando no mapa-múndi da memória a cidade que um dia haveria de percorrer. Kafka, repeti e não sabia que um dia iria compreendê-lo até as raias do amor. Meu colega me emprestou os livros, o caderno e duas semanas depois eu prestava a prova oral: caiu Dickens. Fiquei aturdida. A solução era desviar o transparente inglês Charles Dickens para o embuçado judeu Franz Kafka. E depois, não era mesmo uma ideia causar impacto na banca tratando de um autor que poucos tinham lido? Inconscientemente, lançava mão da técnica kafkiana: dentro de uma aparente ilogicidade, escamoteara os temas deixando a banca examinadora sem atinar com a razão por que eu trocara o comunicativo inglês pelo incomunicável jovem de Praga. Tive que ser interrompida: "É suficiente", disse o presidente da banca.

Saí radiante, à procura do meu colega para reproduzir-lhe o exame que achei brilhantíssimo. E devolver-lhe os livros. Nunca mais o encontrei. Deixou-me os ensebados volumes, o caderno em espiral com sua letrinha torta, vesga e sumiu completamente. Nem sequer os exames chegou a prestar. Dezenas de pessoas somem todos os dias. Era possível talvez ainda ver seu retrato na seção de desaparecidos de algum jornal. Mas eu não lia jornais.

O Retrato

Não achei o retrato do meu colega mas achei o de Kafka, sim, estava sob o seu signo. Senão, como explicar a coincidência? Numa velha revista judaica da obscura sala de espera de um dentista do bairro, distraí-me em ficar vendo as ilustrações, a revista estava escrita em iídiche. E de repente, ocupando toda a página, ele. Os cabelos negros. O queixo obstinado. E os olhos. Metade da cara era bem-comportada mas a outra metade — meu Deus! — nunca encontrara antes duas metades tão diferentes assim: o lado direito, o de um funcionário meticuloso, filho-família meio esquivo, sem dúvida. Mas cortês. A outra face, a de um possesso (tapei o lado direito com a mão) dilacerado num mundo onde a realidade e o sonho se fundiam no fogaréu de uma paixão. Paixão que tinha duas portas, a da loucura e a da morte. Furtivamente, arranquei a página da revista e guardei-a. A mulher sentada ao lado me olhou, interrogativa. É um risco de bordado, eu disse e tive sua inteira aprovação. Fiquei sorrindo também: o bordado era um labirinto dentro do qual candidamente entrara e agora não conseguia mais sair.

Os textos desregrados embora aparentemente cheios de lógica. Aparentemente cheios de lógica — esse o meu engano. Não descobrira ainda que era o contrário que ocorria: a ilogicidade estava só na aparência porque no âmago tudo se desenrolava com a precisão infalível de uma equação matemática. O caos estava na forma da apresentação do problema, não na essência. Caos na pele do homem transformado em inseto, caos nas andanças do inocente transformado em vítima, caos na superfície, nunca no fundo. Como a loucura é que vestia a lucidez, forçosamente os meios tinham que ser esdrúxulos mas sob a falsa demência. A marcha dos acontecimentos se desenrolava dentro de uma lógica implacável, burocrática na sua fatalidade semelhante à marcha de um processo percorrendo os canais competentes.

Naquela noite, sozinha em casa, com a energia da juventude, cheguei quase a tocar no seu mistério. Anos depois viria a pensar nele com o mesmo fervor enquanto andava nessa cidade de Praga que ele amava e detestava. Lancei um olhar ao rio, anoitecia.

Ao transpor a ponte, vi que estava perdida. Falei com uma mulher do povo que passou ao meu lado, onde estaria meu hotel? Ela sorriu como uma criança, levantou a mão num tímido adeus e prosseguiu seu caminho. Passou um militar, recorri ao francês, ao inglês: ele abriu os braços, disse alguma coisa amável e desapareceu na esquina. Fui andando solitária. Incomunicável como ele queria. Lembrei-me então do seu retrato que guardara dentro de algum livro, junto com um retrato da minha juventude e que também não sabia mais onde podia estar.

A Garota da Boina

Um crítico literário do século XIX, irritado com o livro de uma poetisa que ousou sugerir em seus poemas alguns anseios políticos, escreveu no seu artigo: "É desconsolador quando se ouve a voz delicada de uma senhora aconselhando a revolução. Por mim, desejaria que a poetisa estivesse sempre em colóquios com as flores, com as primaveras, com Deus".

Mexendo em antigas pastas na tentativa de ordená-las, acabei encontrando o recorte de uma crônica publicada em 1944. É sobre um pequeno livro de contos que escrevi quando cursava a Faculdade de Direito. Diz o cronista: "Tem essa jovem páginas que apesar de escritas com pena adestrada, ficaria melhor se fossem da autoria de um barbado".

Afetei certo desdém pela crônica mas fiquei felicíssima: escrever um texto que *merecia* vir da pena de um homem, era o máximo para a garota de boina de 1944. Eu trabalhava, estudava e escolhera dois ofícios nitidamente masculinos: uma feminista inconsciente mas feminista.

Cachorro se Chama com Assobio

O Bob tinha uns toques aristocráticos na finura do focinho e na fartura do pelo branco mas o resto da nossa cachorrada era paupérrima, carente de raça, comida e afeto. A maior parte veio da rua, todos com ar desses andejos que a gente vê nas estradas, vindo de longe e indo para mais longe ainda, a expressão obstinada de quem tem um objetivo, um rumo — qual? Perguntar por esse itinerário seria o mesmo que perguntar pelo itinerário das nuvens.

Se alguém põe a mão no ombro de um andarilho e diz Vem!, ele vai porque só esse gesto pode interromper o castigo que lhe foi imposto de não parar nunca. Com o cachorro, em geral basta um assobio, cachorro se chama com assobio.

Em Sertãozinho era assim que eu chamei os cachorros que moravam no vasto quintal da nossa casa. Os mais tímidos resistindo, Venha, seu bobo!, confia em mim. Ele confiava mas desconfiando, bem viva ainda a memória dos pontapés e das pedradas: ele se aproxima e logo recua, as orelhas baixas, o rabo mais baixo ainda.

Dividi com o Volpi a empada que comprei mas reservando para mim a metade com o camarão, porque cachorro é como criança, não entende desses requintes. Apanhou o pedaço ainda no ar, engoliu sem mastigar e continuou ali firme, me olhando. Dou-lhe o doce de abóbora que ele abocanha no mesmo estilo, a fome é tão antiga quanto a noite, esse eu encontrei numa noite.

A cena seguinte lembra um jogo, ele vem atrás de mim? não vem? Prossigo andando sem me voltar, é preciso dar uma certa margem de liberdade não só aos bichos mas também aos personagens, conforme aprendi mais tarde no meu próprio ofício. Já no portão da minha casa, afetando desinteresse paro e olho. Lá está ele sentado no meio da rua, jogando o jogo do distraído mas sinto no escuro a tensão de um arco que se retesa e me flecha com a pergunta, Vai mesmo me adotar?

Tivesse eu nessa época lido Machado de Assis teria dito ao novo amigo que depois de Napoleão Tenente e Imperador, tudo, tudo é possível! Fui buscá-lo mas antes avisei que ele entrasse em silêncio, com calma, melhor mesmo que ficasse pelo menos dois dias escondido no porão. Era preciso aplainar as arestas em relação aos outros bichos da casa, um mico e um papagaio mas também acalmar os outros cachorros que iriam ranger os dentes, com aquela insolência de uma classe em ascensão. Não esquecer as nossas empregadas, duas órfãs que iriam se queixar com a chegada do novo hóspede, Vai aumentar a sujeira, ora, o tempo da escravidão já acabou!

Não acabou não, tinham que cuidar agora dessa Felipa, não se tratava de um cachorro como desejei mas de uma cachorra, sabia que os machos são bem-vindos, mas as fêmeas são rejeitadas sem a menor cerimônia. Afinal, aí está o feminismo se vingando de tantos anos de servidão e confinamento. Mas nesse tempo dos cachorros eu só sabia de uma coisa: que o pecado de Eva no Jardim do Paraíso foi tão terrível que suas descendentes teriam que pagar caro pelo pecado até o fim dos seus dias, inclusive as cadelas.

Assim eu não estranhei quando vi a minha mãe levantar as mãos para o céu, tinha gestos dramáticos, Mais uma fêmea?! Daqui a pouco estará com uma ninhada!

Um Anjo passou na hora e disse *Amém!* porque foi pequeno o caixotinho de sabão para nele caber tantos cachorrinhos sobre os trapos dos quais vinha o terno cheiro quente de urina e leite — o cheiro da infância.

O Gorro do Pintor

A pequena cidade ficou na maior excitação com a chegada de Hortênsia Serena, a declamadora. Não fui à escola porque corri até o clube onde estava pregada na porta uma cartolina com o retrato da declamadora. Nunca tinha visto uma mulher assim tão grande, metida num longo vestido preto, os olhos revirados para o alto, os braços pendidos diante do corpo, as mãos fortemente entrelaçadas no gesto da Senhora das Dores na procissão da Paixão. Dizia o anúncio que ela fora aplaudida nos teatros de São Paulo, Rio e Lisboa. Então me lembrei que a tia Ernestina franziu a boca desconfiada, ora, se ela veio dar com os costados aqui é porque não presta... A reação da minha mãe foi enérgica, Mas querida, essa é uma artista de fama internacional!

Foi a primeira vez que ouvi a palavra *internacional* e que ficou para sempre ligada àquela noite, quando Hortênsia Serena começou a recitar abrindo os braços feito um enorme pássaro preto levantando voo. Levei um susto porque estava na primeira fila e ela com aquelas asas, panos que saíam de suas costas e terminavam com as pontas presas a pequenas argolas enfiadas nos dedinhos das mãos e assim ela abria e fechava aquelas asas pretas. Baixei o olhar para ver se também os pés, compreende?... Mas ainda bem que os pés continuavam pisando no assoalho, pés pequenos assim como as mãos, usava sapatinhos de cetim preto com fivelas de pérolas. Na cabeça de cachos louros o diadema dourado também com pérolas.

Apertei aflita a mão de minha mãe que me acalmou, Fica quieta e escuta!

Ela recitava uma poesia que falava no vento, tinha um vento que soprava tão forte, vuuuuuuuuuuu!... Então rodopiava no pequeno palco, as asas se abrindo e se fechando, tanto vento!

Na segunda poesia, ela me pareceu mais calma, não ventava e nem ela ameaçou levantar voo, era a história de um pobre pintor que tinha um cachorro e um gorro de veludo preto, presente da amada que tinha morrido. Sim, aquele gorro de veludo e aquele cachorro eram os mais preciosos bens do jovem artista de vida duríssima, ainda não estava na moda investir em quadros no alto mercado dos capitais. Acontece contudo que o pintor começou a ficar importante, enriqueceu e com o poder e a glória vieram aqueles vícios, deu de beber, ficou vaidoso, soberbo... O coração que era só brandura endureceu tanto que até o cachorro começou a ser maltratado em meio daquela vida de luxo e prazer. Assim, naquela noite, quando o mísero cachorro já velho e quase cego aproximou-se abanando o rabo e tentando lamber-lhe a mão, o pintor irritou-se, Ah! vou dar um fim nisto! Tomou o cachorro pela coleira, Vamos passear querido? ele convidou, saiu rapidamente com o cachorro e atirou-o no rio que corria próximo. Mas nesse instante em que o perverso inclinou-se para atirá-lo nas águas, o gorro de veludo que usava, lembrança da antiga namorada, foi arrebatado pelo vento e caiu nas águas junto com o cão. O pintor voltou para casa enfurecido, afinal, por culpa daquele bicho miserável ele perdeu aquela amada relíquia. Não conseguiu dormir, pôs-se a andar pelo casarão até que de repente ouviu um estranho ruído lá fora, era como alguém batendo fracamente na porta chamando, chamando...

Nesse pedaço eu já chorava tapando a cara enquanto a artista lá no palco, abrindo os braços-asas perguntou com a voz do pintor, Mas quem podia ser naquela hora? Abri a boca. O pintor abriu a porta: na sua frente estava o cachorro pingando água e tremendo, tremendo, com o gorro de veludo na boca, o amado gorro do pintor... Aproximou-se ganindo docemente, depositou o gorro aos pés do pintor e tombou morto. Nesse instante a minha mãe já me arrastava para fora da sala porque eu chorava alto demais, Ah! filha, tudo aquilo é invenção, não chore assim, é tudo teatro, repetiu enxugando minhas lágrimas e me conduzindo pela rua deserta.

No dia seguinte, quando ela pediu que eu fosse comprar dois ingressos para tia Ernestina e para o meu irmão, vi uma tarja com tinta preta ainda úmida pregada na cartolina, aos pés do retrato: *Proibida a entrada de menores.* Meu irmão deu um forte pontapé no cartaz, Por que isso agora? Essa vacona... Comprei apenas um ingresso e continuei calada.

O Jardineiro

Só colhia as rosas ao anoitecer porque durante o sono elas não sentiam o aço frio da tesoura. Uma noite ele sonhou que cortava as hastes de manhã, em pleno sol, as rosas despertas e gritando e sangrando na altura do corte das cabeças decepadas. Quando ele acordou, viu que estava com as mãos sujas de sangue.

To Die, To Sleep No More

Álvares de Azevedo não se matou mas sua vida tão curta esteve sempre voltada para o famoso Anjo das Asas Escuras e que era a presença constante nessa geração de românticos, os poetas das capas pretas. Manuel Antônio Álvares de Azevedo, na intimidade o Maneco, era paulista e residia na cidade que naquele ano de 1831 contava com cerca de trinta mil habitantes. A escola dos moços era a Academia de Direito do Largo de São Francisco e que fora o convento dos frades franciscanos. Saíram os frades e entraram os estudantes, a juventude transviada da época. Os fantasmas úmidos desses frades ainda suspiravam pelos corredores de tábuas carcomidas quando os jovens das capas pretas tomaram conta das salas do velho prédio, o que foi considerado assim como uma afronta na pasmaceira da cidade de rígidos usos e costumes, o pudor das donzelas e das matriarcas que viviam assim fechadas, Ah! Cristo Rei, tanta garoa e tanto frio. Mas foi para se autoflagelar que os jesuítas inventaram fundar o vilarejo no pântano?

Os jovens estudantes sofriam com tantos preconceitos e ainda esse clima! A solução? Os cafés boêmios, beber e amar nos lupanares e nas noites de luar fazer as serenatas pelas ruas. Segundo a crônica, o jovem poeta Álvares de Azevedo era culto mas tão bem-comportado! Escrevia sobre a vida boêmia com ardor sensual mas na realidade era um puro: não tinha amante, não frequentava a zona e tomava apenas um copo de leite antes de dormir. Então ele era virgem? *Virgensíssimo!* exclamaria Mário de Andrade na Semana de Arte Moderna de 22.

Mas aqui eu suspenso o juízo, afinal, o que se sabe realmente sobre o próximo? E ainda sobre um próximo assim distante, hein?... E se esse poeta de aparência tão bem-comportada fosse na realidade um sonso?

Voltemos à geração dos estudantes das capas pretas e pertencentes, na maioria, às famílias burguesas, satisfeitas, sim, com a solução: tínhamos agora uma Academia de Direito na cidade, já não era preciso mandar os nossos moços para aquelas lonjuras da universidade de Coimbra. O problema local era o crescimento das zonas da boemia paulistana. Os estudantes! benziam-se os velhos quando ouviam aquele tropel tocando as violas nas madrugadas. Os estudantes! suspiravam as donzelas empalidecendo de emoção. Havia até aquele grupo mais ousado que chegava a praticar alguns rituais macabros: rezar missas negras no cemitério para onde levavam prostitutas, consta que uma delas teria morrido na crise de pânico — oh! Byron. Invocar, sim, o líder maldito que bebia vinho num crânio humano transformado em taça.

A verdade é que pintavam e bordavam os moços da velha Academia mas e esse arredio Álvares de Azevedo? Escrevia uma poesia ousada, sensual e com aquele ar tão discreto, esquivo. Nas cartas à amada mãe ele se dizia muito entediado nesta cidade de *formigas e caipiras.* Refugiava-se à noite no quarto à luz das velas vacilantes, ler Shakespeare, Shelley, a Bíblia... O copo de leite morno.

Eis que na Europa a Escola Romântica estava decadente, ah! a exagerada liberdade na criação literária, tanto desregramento boêmio já estava cansando. Mas aqui por estas bandas a moda apenas começava, uma novidade e então a ordem era mesmo se embriagar com as leituras miasmentas e com as bebidas locais, onde a cocaína, o absinto?... Escamotear a modesta intelectualidade tropical. "Escravo, encha esta taça!", ordenava o poeta e estudante de Direito Fagundes Varella. E o preto velho lá vinha descalço para encher a caneca de cachaça. No sexo, o mesmo jogo disfarçado: os filhos-famílias falavam bonito com as castas meninas nos saraus e depois iam se encontrar com as raparigas da zona infestada de sapos. Mas a verdade é que uma boa parte dos poetas românticos tinha medo do amor sexual. Escreviam com tanto ardor mas na prática... Uma brilhante exceção era o baiano Castro Alves que sem a menor cerimônia atirou-se aos braços da atriz Eugênia Câmara. Essa lírica poesia castroalvesca, na opinião do Professor Antonio Candido é mais importante do que a poesia social. Concordo, é uma beleza a inspiração desses poemas que ele escreveu até o fim, quando morreu jovem e ardendo de amor. Tuberculoso, também cumpriu a tradição porque era essa a doença do século. E dentro do clima shakespeariano, *Morrer, dormir... talvez sonhar, quem sabe?...*

Romantismo e Subdesenvolvimento

Os nossos poetas da *Escola de Morrer Cedo,* conforme a batizou o poeta Carlos Drummond de Andrade, pregavam tanto a liberdade e eram escravos dos pressentimentos, ai! a força do destino. O mistério. A dúvida. Porque era com um secreto gozo que os moços das capas pretas se entregavam ao famoso Anjo Das Asas Escuras. Tantos presságios. Tanto amor e medo. "Que fatalidade, meu pai!", disse Álvares de Azevedo pouco antes de morrer. Era quase adolescente o poeta que falava tanto em viciados mas quem bebeu de fato foi o colega Fagundes Varella. Falava tanto nas amadas desmaiando de prazer mas quem as teve realmente foi o também colega Castro Alves.

Os pressentimentos batendo nas janelas do quarto solitário. A solução, sim, era se atirar a uma poesia sensual, exaltada, o *spleen* e os charutos... Paixão e tédio se alternando. A exaltação. Com a pergunta obstinada que voltava nas insônias, *Cavaleiro, quem és? que mysterio.../ Quem te força da morte no império/ pela noite assombrada a vagar?* Mistério com *y* — mais misterioso ainda. E a resposta do

Phantasma: *Sou o sonho de tua esperança,/ tua febre que nunca descança,/ o delírio que te há de matar.*

No enterro de um amigo que se suicidou, no cemitério iluminado pelos archotes (era noite) no discurso fúnebre disse Álvares de Azevedo: "Todos os anos a sorte escolhe, sorrindo, os melhores dentre nós!".

O sorridente Anjo Das Asas Escuras e que andava por perto, anotou no caderninho o nome desse orador: Álvares de Azevedo. Poeta. Tumor na fossa ilíaca. Ano 1852.

No Andar Superior

O vizinho do andar superior — e que nunca cheguei a ver — fazia às vezes ruídos esquisitíssimos, não consegui decifrá-los nas minhas noites acesas, eram ruídos noturnos: coisas esponjosas que se arrastavam pelo chão, pensei em panos úmidos mas os ruídos passaram por variações, criaram vida e ficaram deslizantes como cobras indo e vindo num ritmo comandado. Muitas cobras — seria um amestrador de circo? Cessaram os ruídos das cobras amoitadas e começou um barulho trepidante, ágil como o movimento circular de uma máquina de rodinhas, rodinhas de borracha, talvez um carrinho de boneca, embora certa noite as rodas do carrinho tomassem inesperadamente dimensões adultas, ficaram rodas mais responsáveis, difíceis — uma cadeira de paralítico?

Os novos inquilinos que chegaram são silenciosos. Tão silenciosos que ouço no silêncio o som de uma pena raspando o papel numa letra caprichada — um velho escritor? Quando cessa o ruído rascante da pena que já deve estar muito usada, começa o ruído delicado de alfinetes caindo no chão, dezenas de alfinetes que depois são recolhidos numa caixinha de papelão. Quando a caixa transborda, são espetados numa almofadinha — um alfaiate? Fiquei adiando a pergunta que ia fazer ao porteiro sobre os meus vizinhos mas eles se mudaram, chegaram inquilinos novos e até agora não ouvi nada. Absolutamente nada. Continuo esperando.

Tarde de Autógrafos

Primeiro livro. Vou até a editora para saber se está tudo em ordem, a tarde de autógrafos está marcada para as seis horas. O jovem funcionário que me recebe informa que os convites já foram todos expedidos e que na livraria será servido vermute e amendoins. Vai para a sala ao lado para telefonar. Preciso de uma caneta, procuro na mesa e em seguida abro a primeira gaveta do lado direito e dou com as pilhas dos convites e envelopes em branco. Fecho a gaveta, abro depressa a gaveta seguinte, ah! mais convites... Fecho a segunda gaveta e acendo um cigarro. O jovem funcionário está voltando e me conta rindo que foi um fracasso a tarde de autógrafos de um poeta já velho, vazante total, o único comprador que apareceu foi para saber se já tinha chegado na livraria a nova edição d'*Os Sertões,* Ah! uma coisa de louco! e o moço riu e me ofereceu um café. Fico rindo também e com um ar assim distraído pergunto se a remessa dos meus convites não teve nenhum problema. Não, ele responde num tom enérgico, tudo em ordem, não se lembra exatamente do dia em que eles foram depositados mas já faz algum tempo. "A coisa agora é com o correio."

Olho para a janela e vejo através do vidro as nuvens se acumulando, escuras, assim descabeladas. Quer dizer que além de tudo tem o tempo, eu pensei. E se nesse fim de tarde desabar uma tempestade? A cidade virando uma Veneza sem pontes, onde os meus amiguelhos lá da Faculdade?, onde os meus camaradas de Letras que por sinal eram raros? Acho elegante essa expressão que ouvi de um português, camaradas de Letras. Podem ser solidários, sim, mas com qualquer tempo? Me vejo solitária como na hora da criação, solitária mais tarde na livraria quase vazia: a hora fluindo em câmera lenta, o pesadelo é lento e a tempestade no auge, os transeuntes passando num pé de vento, ah! como correm. Bebo um gole do vermute ruim e me sirvo dos amendoins murchos. Fico desenhando bem devagar a dedicatória para a velha tia que sacode o guarda-chuva pingando água, Que pena! ela lamenta e eu contesto enérgica, Não tem importância, querida, a senhora não está aqui? Faço agora a dedicatória para a prima que brincou comigo na infância, morou na minha casa e não me lembro do nome, e o nome?! A dedicatória afetuosíssima para o desconhecido e gelada para o único colega que apareceu, um gato pingado que se debruçou e molhou a mesa com o impermeável, centenas de colegas e apenas aquele e ainda se queixando, Tempo ruim, hein?!... Concordo e olho furtivamente para a porta vazia, chuva e sombra.

O jovem da editora desliga o telefone na sala ao lado, está eufórico. "Falei agora com uma jornalista que vai te entrevistar, é um modesto jornal de bairro mas enfim, sempre ajuda..."

Em pensamento vejo chegar a mocinha pingando água, aproxima-se mais enquanto vai apertando os pequenos botões do gravador e se queixando, Ele é um mistério, nunca sei se está realmente ligado, um mistério! Todas as máquinas são misteriosíssimas, concordo e ela faz a primeira pergunta, Quando e por que começou a escrever? A segunda pergunta é para saber se estou emocionada. Estou desesperada! penso e começo a rir. O jovem da editora quer saber por que estou rindo e me oferece um segundo café. Aceito e penso que a solução ideal é o autor morrer na manhã dos autógrafos, os convidados chegando e o caixeiro avisando em voz compungida, O autor morreu de manhã, falência múltipla dos órgãos e o corpo está sendo velado na Biblioteca Municipal. O recém-chegado suspira com alívio, ótimo não precisará comprar o livro que não ia mesmo ler.

Consulto o meu relógio de pulso e me despeço do moço da editora que me aperta num abraço, Boa sorte! Desço a escada de caracol e me lembro que li em alguma apostila uma frase tão desesperada de Shakespeare, "Dispo o meu coração como uma puta!".

Na rua, olho o céu onde as nuvens se juntaram galopantes e descabeladas com jeito assim de uma conspiração. Lembrei-me então da ameaça bíblica, Deuteronômio? "O céu que está por cima da tua cabeça será de bronze e a terra debaixo dos teus pés será de ferro." Respiro fundo, enfim, é o meu primeiro livro, recuso a me interpretar mas quando começar a tempestade o meu céu secreto estará desabrochado em estrelas.

Também
Tu?...

Tu quoque Baudelaire?! Sim, ele também, por que não? Anoto seu pensamento, um símbolo da estrutura patriarcal: *Aimer des femmes intelligentes est un plaisir de pédéraste.*

Não era em vão que as mulheres disfarçavam a inteligência que repelia pretendentes ao invés de atraí-los, mulher inteligente chegava a assustar. Me lembro do tio dizendo à minha mãe que rompera o seu noivado porque ela era inteligente demais, culta demais, andava exausto com suas elucubrações intelectuais, queria uma gueixa e não uma Minerva: "Ela parecia um homem falando! Me deitar com ela é me deitar com a Mulher Barbada do circo!". Minha mãe riu, eu fiquei rindo junto mas um tanto preocupada, era uma adolescente com certos planos. A sabedoria então era fazer como a nossa vaquinha Filomena que escondia o leite? Filomena escondia o leite, era uma vaca sonsa.

Roxo é a Cor da Paixão

Filomena escondia o leite, queria guardá-lo para o bezerrinho. Uma antiga tia escondia sua poesia, guardou-a até a morte. Dessa remota tiazinha ficou apenas um desbotado retrato no álbum: vestido de tafetá preto de gola alta, agarrada no pescoço para deixar escapar só a fímbria da rendinha. Cintura de vespa, toda dura sob as barbatanas do espartilho. E a carinha de pânico. Descontraída, só a sombrinha branca com seus babados frouxos e um laçarote transparente no cabo.

Escrevia os poemas fechada no quarto, a letra tremida, a tinta roxa. Meu bisavô ficou meio desconfiado e fez o seu discurso: "Umas desfrutáveis, mana, umas pobres desfrutáveis essas moças que começam com caraminholas, metidas a literatas!". Ela entendeu e fechou a sete chaves a obra proibida. Antes de morrer (morreu de amor contrariado), pediu que enchessem com seus versos o travesseiro do caixão branco, era moda caixões com travesseiros. Foram tantos os versos, mas tantos que tiveram que encher também o acetinado colchão da mocinha duplamente inédita, era virgem.

Mas quem ousava desafiar a família, a sociedade? No Brasil foram poucas as que chegaram a se manifestar. Lá fora o número das artistas até que foi razoável, nos moldes de uma George Sand que assumiu ofício e sexo com certa arrogância. Mas passando para a outra banda: amiga de homens, assinava seus escritos com nome de homem, vestiu-se como um homem e fumava tranquila seus charutinhos. Uma época. Dois estilos.

A Evasão

O telefone tocou às duas da madrugada. Fui atender. Era um colega que começou por me pedir desculpas pelo adiantado da hora mas é que estava por demais desesperado, ia se matar. Das duas até as três e meia, calma e racionalmente fiquei expondo o elenco de razões poderosíssimas que poderiam levá-lo a viver. Ele resistiu a todas as razões e quando achei que não tinha mais nada a dizer recorri ao meu último trunfo mas sem convicção, sempre o considerei um materialista: pode se matar mas você vai para o inferno!

Ele me pareceu impressionado com a perspectiva desse inferno no qual nunca acreditou. Ficou pensativo. Despediu-se já sonolento e prometeu adiar o gesto. Salvei-o mas não me salvei.

A noite perdida. Não perder o dia — resolvi e preparei minhas defesas, telefonaram e não atendi, tocaram a campainha e deixei tocar, veio o correio, as cartas invadindo o vestíbulo... Fiquei quieta, olhando para uma das cartas que foi atirada com tanta força que chegou até minha poltrona, o envelope arfante num desafogo de respiração. Fiz o chá e fiquei roendo uma torrada com mel. A campainha recomeçou a tocar. Ouço o novo visitante fungar e estalar os dedos e não faço ideia quem possa ser essa pessoa que estala os dedos e funga quando se irrita. Ligo o toca-discos, bem baixinho, Bach: Toccata, Adagio e Fuga em Dó Maior. Volto para minha mesa. Abrir a agenda é entreabrir a carapaça que quando perco (essa carapaça a gente perde às vezes) fico escondida como os pequenos crustáceos do fundo do mar. Espio os dias por essa fresta.

Tempo de Espera

Volto de uma reunião feminista. Exaltação e fervor na maioria das participantes. De resto, a mesma confusão de toda revolução ainda no início com as discussões bizantinas em torno de palitos quando o essencial... Muita vontade de afirmação pessoal, muita vontade de poder na mesma linha machista. Digressões e agressões desnecessárias. Algumas das revolucionárias sabem: mas são poucas as que sabem e desenvolvem um raciocínio claro. Na maioria, a perplexidade, fico comovida. Mas não tem importância, nenhuma importância, a confusão e os desencontros de direção e linguagem lembram a Torre de Babel, alguém pedia uma tábua e atiravam um tijolo. Toda revolução desse tipo tem que ir mesmo por paus e pedras, nenhum prejuízo nisso, pois não é o próprio sistema que está sendo resolvido? Não tem ainda a revolução uma base na massa mas esse fato também me parece normal, ocorre o mesmo em todas as partes do mundo onde se levantou a bandeira. Tempo de espera.

É Tarde no Planeta!

Escolhi a mesinha que estava na calçada e pedi um suco de frutas naturais mas sabendo que viria um suco com sabor de frutas artificiais, as frutas de laboratório, os bebês de laboratório — mas onde estamos? Enfim, já anunciaram que temos nossas usinas nucleares, um dia vai chegar um sergipano (ou um paulistano, não tenho preconceito de região) e vai apertar distraidamente o botão errado. Pronto. O Brasil vira memória. E as pessoas tão inconscientes ouvindo as musiquinhas na porta da loja de discos. O homem engraxando os sapatos. O casal de namorados na fila do cinema. O velho com o netinho jogando migalhas para os pombos — mas ninguém mais lê os jornais? Me lembrei que na juventude quase nem lia jornal e agora essa massa de informações me atochando olhos, ouvidos, boca — e se parar de ler jornais? Era bom antes, lembra? Mas agora era tarde. Tarde no Planeta! Tinha de ficar sabendo que a polícia tailandesa descobriu que casais de traficantes sequestram bebês, extraem as entranhas das crianças e enchem os buracos com heroína, cocaína — mas por que eu tinha que saber isso? Visualizo o casal de jovens fingindo a maior dor ao acompanhar no avião o corpo do anjinho pesado de drogas. Mas por que tenho que assumir também as patifarias tailandesas? Como se não bastassem as nossas... Afastei o copo de suco, inapetente para o suco. Para a vida. Pedi um café e o café igualmente intragável, Mas de onde veio esse café? Perguntei e o garçom cara de pau informando que o café veio do Brasil, ora! Pedi a conta e quando ouvi minha voz a descoberta me iluminou como um raio: a gripe, estava com gripe. Aquela sonolência, a depressão era da gripe, claro, ô maravilha! quando se descobre a causa. Me deem a causa que com o efeito me arrumo eu! Despedi-me efusivamente do garçom e voltei para casa, ia depor as armas no primeiro degrau da escada.

As Cadeiras

Há duas cadeiras que se parecem tanto que quando me sento numa imediatamente me ocorre a lembrança da outra: cadeira de dentista e cadeira de avião. Igual o constrangimento, a má vontade quando me dirijo a elas — vontade de adiar a hora. A ânsia no peito, o frio nas mãos. No bolso, o cartão do dentista com a hora marcada. No bolso, a passagem aérea, pessoal e intransferível. Vi certa manhã um gato com seu andar de veludo rondando a gaiola do passarinho. Com esse mesmo andar o medo se aproxima de mim, sinto seu cheiro em ambos os ambientes antissépticos e fechados. Cores neutras, luz fria incidindo nos metais reluzentes que lembram farmácia. Hospital. Há sempre uma música suave no rádio. O locutor de voz velada faz o anúncio no mesmo tom impessoal com que o moço de bordo anuncia pelo microfone as condições atmosféricas em meio das recomendações de praxe. A enfermeira tão limpa de avental branco não tem qualquer coisa da aeromoça tão gentil que oferece revistas, caramelos e algodõezinhos para os ouvidos? O guardanapo é preso ao pescoço com aqueles mesmos gestos com que a aeromoça vem nos ajudar a fechar o cinto de segurança. "Deseja mais alguma coisa?", pergunta ela com uma amabilidade postiça. Desejaria descer — seria a verdadeira resposta. Vontade de fugir da cadeira tão confortável, a almofadinha na altura da nuca, o assento anatômico, perfeito. Perfeito? Perfeição um tanto suspeita: depois de tantas inovações, por que o avião ainda cai? Por que o dentista ainda dói? Tão importante essa vitória da técnica com raízes norte-americanas, último tipo, precisão. Infalibilidade. A aeromoça se afasta com o sorriso igual ao da chegada. A enfermeira se afasta e as solas dos seus sapatos parecem grudar no oleado do chão. O ronco do avião no ensaio da decolagem. O motor do dentista provando antes de nele ser atarraxada a agulha. A boca aberta como uma oferenda. O corpo encolhido, o peito fechado. Entrelaçadas no colo as mãos duras. A doce musiquinha do rádio parece vir de muito longe — de que mundo? Acelera-se o motor. O corpo se agarra à cadeira, ambos integrados e formando uma peça só, única. Curta a respiração. Os olhos apertados. O pedal invisível é acionado e a cadeira com o corpo vai se erguendo no ar. Os motores do avião sopram com mais força, vai levantando voo. A pata do gato alcança o passarinho.

Hora do Jornal

O repórter do jornal falado da tevê — um moço bonito e bem-vestido — fez hoje denúncias terríveis. Sempre estão sendo feitas denúncias terríveis, o Brasil é o país onde se fazem mais denúncias, somos extraordinariamente bem informados através de todos os meios de comunicação. Mas as denúncias feitas nesta noite me perturbaram demais. Guardei apenas dois números que me marcaram como se marca o gado: 15.000.000 (quinze milhões) de árvores são abatidas por ano na floresta amazônica. E 500.000 (quinhentas mil) crianças morrem por ano só de tuberculose, excluídas outras doenças. O país das denúncias. Nunca acontece nada depois mas ao menos a gente fica sabendo, o que já é alguma coisa. O locutor esboça um sorriso após o noticiário tenebroso e nos deseja *Boa noite!*

Escrevi um Poema

O menino de cara inchada entra na sala de espera e corre choramingando até a enfermeira, não está aguentando de dor, quer que o dentista arranque imediatamente esse miserável. A enfermeira faz uma expressão compungida e pergunta se não me importo de ceder minha hora para o menino. Com todo o prazer — respondo e saio para a rua. Estou leve, inspirada. Nenhum sentimento de culpa. Vou andando e pensando debaixo do sol, é bom pensar e andar no sol. Dentes demais. Nervos demais. Num sistema dental assim complexo tem que haver mesmo os inconformados, os dissidentes. Mas a maioria ficou firme, fiel ao regime, até me comovo com tamanha disciplina. E este sol e este ar fino! Escrevo um poema no cartão da hora cancelada: *Estou viva./ Lúcida./ E tirante os dissidentes/ os dentes são meus.*

Édipo e Suspiros

Realizei inúmeras pesquisas com o pneumógrafo, disse Carl Jung. *Nesse aparelho, fica registrado o volume exato da respiração sob a influência de um complexo, isto é, sob a influência de um bloqueio que restringe, trava o ato de respirar plenamente. Assim, uma das razões da tuberculose é a manifestação de um complexo sob o domínio do qual as pessoas têm uma respiração artificial, sem profundidade porque não são ventilados os ápices pulmonares. Daí o organismo fragilizado, com maior facilidade contrai a doença. Queria acrescentar que metade dos casos de tuberculose é de origem psíquica. A título de ilustração, vi muitas curas verdadeiramente surpreendentes de tuberculose crônica efetuadas por psicanalistas. No tratamento psíquico, aos poucos as pessoas aprendiam a respirar quando se revelava a natureza dos seus complexos: se autoconheciam. E se conhecendo, se aliviavam passando a respirar melhor, caminho seguro para a cura total.*

Nessa abordagem, não tratou Jung especialmente do Complexo de Édipo. Ora, repensando nos nossos românticos, tuberculosos na sua estarrecedora maioria, vejo que não podiam eles escapar da engrenagem edipiana numa época em que o preconceito em relação ao segundo sexo estava no auge, nítida a divisão das mulheres em dois grupos rigorosos, como num laboratório de química: de um lado, as mães, as irmãs, as esposas e as noivas, incluídas nessa faixa aquelas que entravam para o convento, mortas para este mundo. No lado oposto, as prostitutas sem misturas e sem nuances: as santas e as pecadoras. Santuário e bosteiro.

Dentro da mentalidade vigorante, natural o surgimento e desenvolvimento do complexo edipiano: Mal do Século somado ao Mal de Édipo, as letras graúdas para ênfase maior porque a carga era realmente poderosa, Álvares de Azevedo, edipiano puro, é um exemplo bastante expressivo dessa fixação materna: longe de casa e morando numa cidade na qual não achava a menor graça, começou a viver mal. Respirar mal, as portas e as janelas sempre fechadas, ele detestava o ar livre. O peito fechado e fechada a braguilha. Devia suspirar muito, os românticos suspiravam demais. Suspiros doloridos, suspiro nunca é saudável porque quem suspira é um complexado e complexado edipiano, esse então suspira dobrado.

"Que fatalidade, meu pai!", suspirou antes de morrer, mas ao invés de dizer *pai*, poderia ter dito *minha mãe!* não tivesse ele tido o cuidado de afastar a mãe do quarto, pai pode sofrer, mãe, nunca! Paixão por essa mãe. A solução era escrever os poemas e cartas às vezes divertidos, maliciosos, agudo o senso de humor. Outras vezes, confidências de um menino mimado, o tom quase amargo mas contido, não fosse ela se afligir com o seu pessimismo. Com a sua saudade.

Se eu morresse amanhã, viria ao menos/ fechar meus olhos minha doce irmã;/ minha mãe de saudades morreria/ se eu morresse amanhã!

"Botei meu nenê numa creche pra acabar desde cedo com fixações, dependências", me disse uma feminista convicta. Minha razão concordou, está certo, cortar em profundidade o cordão umbilical, não venha ele se enrolar mais tarde no peito do edipiano, dificultando-lhe o ato de respirar com todas as sombrias consequências junguianas. Mas meu coração, esse resistiu à ideia. E se o menino, escapando dos suspiros edipianos, crescer aquele moço ressentido, fazendo bico, um a mais no exército dos rejeitados crônicos?

Voltando ao nosso poeta, o Maneco, não, ele não morreu tuberculoso mas vítima de um tumor na fossa ilíaca. Mas vivendo e respirando mal como respirava, penso que ele acabaria como tantos da sua geração: mais uma vítima do mal do século.

A Prova

Estatísticas. Números. A civilização da tecnologia. Então alguns cientistas-monges resolveram demonstrar que existe alguma coisa de imponderável que escapa a esse materialismo que está fazendo do homem o mais infeliz dos seres: num laboratório foram plantadas três sementes em condições e circunstâncias absolutamente iguais. Igual a terra, a iluminação e a água regada nos três vasos onde foram colocadas as sementes trigêmeas. Uma única diferença nesse tratamento: quando o cientista-monge regava a terra do primeiro vaso, dizia em voz alta palavras de fervor, esperança. Palavras de amor: "Quero que você cresça bela e forte porque confio em você, porque neste instante mesmo estou lhe dando minha bênção do fundo do coração"... etecetera, etecetera. Diante do segundo vaso, em silêncio e automaticamente ele deixava cair a água. Mas quando chegava a vez do terceiro vaso, ele só tinha palavras de hostilidade, desafeto: "Você será uma plantinha anêmica, feia, não acredito na sua sobrevivência, está me ouvindo? Não gosto de você!".

Ela ouviu. As outras também ouviram e sentiram a diferença de tratamento: a semente bem-amada resultou numa planta vigorosa e cheia de graça. A semente regada com indiferença, cresceu indiferente, sem a exuberância da primeira. Quanto à semente rejeitada, esta virou uma planta obscura, de caule entortado e folhas tímidas, a cabeça pendida para o chão.

A Disciplina do Amor

Foi na França, durante a Segunda Guerra Mundial. Numa pequena cidade um jovem tinha um cachorro que todos os dias, pontualmente, ia esperá-lo voltar do trabalho. Postava-se na esquina, um pouco antes das seis da tarde. Assim que via o dono, ia correndo ao seu encontro e na maior alegria acompanhava-o com seu passinho saltitante de volta à casa. A vila inteira já conhecia o cachorro e as pessoas que passavam faziam-lhe festinhas e ele correspondia, chegava a correr todo animado atrás dos mais íntimos. Para logo voltar atento ao seu posto e ali ficar sentado até o momento em que seu dono apontava lá longe. Mas eu avisei que o tempo era de guerra, o jovem foi convocado. Pensa que o cachorro deixou de esperá-lo? Continuou a ir diariamente até a esquina, fixo o olhar ansioso naquele único ponto, a orelha em pé, atento ao menor ruído que pudesse indicar a presença do dono bem-amado. Assim que anoitecia, ele voltava para casa e levava sua vida normal de cachorro até chegar o dia seguinte. Então, disciplinadamente, como se tivesse um relógio preso à pata, voltava ao seu posto de espera. O jovem morreu num bombardeio mas no pequeno coração do cachorro não morreu a esperança. Quiseram prendê-lo, distraí-lo. Tudo em vão. Quando ia chegando aquela hora ele disparava para o compromisso assumido, todos os dias. Todos os dias. Com o passar dos anos (a memória dos homens!) as pessoas foram se esquecendo do jovem soldado que não voltou. Casou-se a noiva com um primo. Os familiares voltaram-se para outros familiares. Os amigos, para outros amigos. Só o cachorro já velhíssimo (era jovem quando o jovem partiu) continuou a esperá-lo na sua esquina. As pessoas estranhavam, mas quem esse cachorro vem esperar todos os dias? Uma tarde (era inverno) ele lá ficou caído na esquina, o focinho voltado para *aquela* direção.

Persona

Passei o pente no cabelo, abotoei o colete, enfiei o anel no dedo e me olhei no espelho: a imagem (persona) correspondia exatamente ao juízo que eu (e os outros) faziam de mim. Fechei a mala. Tomei o trem. Na recepção do hotel, apresentei meus documentos, preenchi a ficha, gratifiquei o moço que me conduziu ao apartamento, descerrei as cortinas para a bela vista e liguei o rádio de cabeceira que tocava a *Serenata* de Schubert. Quando anoiteceu, rasguei meus documentos em mil pedacinhos, joguei tudo no vaso sanitário e puxei a descarga, tirei o colete, guardei-o dentro da mala e despachei a mala para o seu país de origem, desfiz as pegadas da estação até o hotel, tranquei a porta do quarto, joguei a chave no rio e saí pela janela.

Tunísia

Sondei o nosso acompanhante, um árabe de longa bata cinzenta, bigodões negros e fez vermelho no alto da cabeça, o pingente ao vento. Pergunto-lhe se Cartago era muito longe de Túnis. "*Carthage*?", ele repete num francês forte, carregado nos erres, francês de árabe em terras d'África. Não, não era longe não, ficava cerca de meia hora dali, talvez menos.

O hall borbulhante, já transbordando com as delegações do Festival de Cinema que chegavam de todas as partes do mundo. Quando entrei no elevador, senti um perfume delicioso: âmbar. Certos perfumes me deixam feliz e aquele tão luminoso, quente. Alguém subiu neste elevador e deixou esse perfume, eu disse a Paulo Emílio. A mesma pessoa esteve aqui de novo, pensei em êxtase quando entrei no elevador pela segunda vez. Na minha distração, custou um pouco para perceber que o perfume de âmbar fazia parte do elevador, sempre que entrava nele, ficava feliz outra vez. Mas e Cartago?

Outono sob o sol da África quer dizer verão. As noites são suaves com uma brisa cálida que chega a ser fria na madrugada. “Puxa, como os ricos se divertem!”, foi o pensamento subversivo que tive na manhã em que da sacada do apartamento fiquei vendo lá embaixo, em redor do azul-turquesa da piscina, americanos e alemães lustrosos e vermelhos tomando sol nas suas cadeiras, óculos escuros, o copo de uísque na mão, servidos por jovens garçons de calças pufantes, ah! como brilhavam as luvas douradas entre os cubos de gelo. O vinho também dourado. Esqueci-os na sua imobilidade de lagartos e fiquei vendo assim do alto a cidade lá adiante na sua brancura imaculada de cal. Nas lonjuras, com o casario rareando nos descampados, as silhuetas dos camelos cruzando as estradas.

Convencional a divisão mas válida: tem as cidades masculinas e as cidades femininas, ô! Padre Anchieta, meu Padrinho, que *optimus* para o industrial e que *pessimus* para o artista viver no regaço de aço de uma cidade macho como São Paulo. O Rio? Feminino, é claro. Nessa trilha, Túnis também é uma cidade do segundo sexo e do Terceiro Mundo, acentuado o sexo na disposição do casario redondo, sem arestas, com seus labirintos e mistérios de um tempo em que o sexo ainda tinha mistério. Com a moda dos sexólogos e da indústria do erotismo parece que o mistério acabou. Ou ainda restou algum?...

Perambulo pela cidade que é bela e limpa na parte antiga porque não contaminada pela arquitetura ocidental. Os mercados refulgentes de peças de cobre, tapeçarias, joias. As praças, onde os vendedores ambulantes abrem suas tendas de uvas e tâmaras em cachos. Os mendigos também em cachos.

As mulheres vestidas à maneira tradicional, o rosto velado embora a lei dos árabes já as tivesse libertado desse véu que deixa apenas os olhos de fora. Olhos negros, pintados, contrastando com a brancura das túnicas nas quais se enrolam da cabeça aos pés. A um garçom que me serviu um peixe rosado como a rosada areia de Hammamet, perguntei por que as mulheres não tinham decidido abaixar o véu. Pressão da família? Da religião?... Eram raras as que passavam pelas ruas vestidas à maneira ocidental, algumas jovens com jeito de universitárias e algumas mulheres maduras, com aquele ar independente de intelectuais ou viúvas. O garçom negou com veemência qualquer pressão religiosa ou familiar. "Acontece que elas estavam habituadas com o estilo de vestimenta, apenas isso, o hábito antigo..." Fiz então uma pergunta direta: E a sua mulher, ela ainda usa o véu? O garçom me encarou com uma expressão escandalizada, Ah, madame, claro que usa o véu, claro, mulher tem que ficar escondida, guardada!

As guardadas mulheres da Tunísia. No festival de cinema, as bobinas se desenrolando e as mulheres-bobinas se enrolando nos véus. Sob o céu luminoso me senti dentro de uma das antigas gravuras (imagens secretas) das *Mil e Uma Noites*, conta, Sheherazade!

Cinzas

Era um romance e reduzi para um conto que pode ser lido em pouco tempo e em seguida soprado da memória assim com a rapidez com que foi soprada a cinza da pequena urna, aquela urna que o funcionário do crematório entregou ao familiar interessado. Ora, segundo a vontade do falecido essas cinzas deveriam ser espalhadas no campo ou no mar, ele era um sentimental que tinha esse sonho, Ah! as cinzas sumindo para sempre na espuma branca das ondas...

Acontece que esse familiar interessado era um homem objetivo, um homem prático, ora! Melhor abrir mão desse ritual complicado demais e simplificar a cerimônia fúnebre. Levou a pequena urna até o clube que tinha uma pista de corrida atrás da quadra de tênis, que tal enterrar a urna debaixo da árvore adiante? Gente demais, desistiu. Então lembrou-se daquele terreno baldio perto do apartamento onde residia, Ah! que tal deixar lá aquela pequena urna que embrulhou numa folha de jornal, não era uma solução? Foi até o terreno, ótimo, ninguém em redor. Com o cabo quebrado de uma vassoura que achou no meio do mato rasteiro fez apressadamente a cova e nela enterrou a urna. Quando saiu, viu que havia um moleque esperando que ele saísse para então ir desenterrar a urna imaginando que ela podia esconder dinheiro ou o quê?!... "Enfim!", gemeu o familiar interessado, "fazer o quê agora?" Chutou uma pedra, tinha que pegar o batente e com esse trânsito! "Caralho!", gemeu apressando o passo. "Um pouco mais de respeito pelos vivos, pô!"

Apiaí

A origem talvez esteja no verbo *apear,* desmontar, botar o pé no chão, Vamos, apeia aí! Mas também não estou certa, o que sabe a gente das origens? Me lembro bem é do rio rolando pardacento perto da casa dos morcegos, uma ruína que tinha sido, é o que contavam, uma bela casa onde fora assassinada a Laura das Rendas. Agora era o abrigo da morcegada, meu irmão prendeu um na gaiola, pude ver a cara dele bem de perto: tinha a focinheira arrebitada, de um cinza escamoso, era feio como o pequeno Diabo sob a sandália do soldado-santo pintado na parede da igreja. As velhas beatas raspavam com a unha da raiva esse focinho, mas os olhinhos murchos, com laivos de sangue tinham o cansaço triste dos olhinhos de um velho, Solta esse morcego! eu pedi. O Morro do Ouro. Meu pai era dono de um pedaço desse morro, Lá tem mesmo ouro, pai? eu perguntava e meu pai sorria por entre as baforadas do charuto, ele gostava de charutos e de roleta, era um jogador. Minha mãe tocava piano e fazia goiabada num tacho de cobre, chamei de mulher-goiabada as mulheres dessa geração. Ela gostava de cantar e me parecia alegre, mas revendo hoje os seus retratos, percebo que sua expressão era triste, ela era triste?

Todas as noites depois do jantar a molecada do bairro se amontoava na frente do portão da minha casa: era hora das histórias dos lobisomens, bruxas e almas penadas, tinha até uma procissão de caveiras que passava à meia-noite cantando pela rua, oh, Deus! como eu tremia quando minha pajem tapava o nariz e imitava com perfeição esse canto. Minha mãe descobriu que essa pajem chamava a cachorrada para lamber os pratos sujos com os restos do jantar e botou-a de castigo. Tomei então seu lugar de contadora de histórias e assim que comecei a inventar, vi que sofria menos como narradora porque transferia meu medo para os outros, agora eles é que tremiam, não eu. Datam desse tempo meus primeiros escritos, isso depois do aprendizado com a sopa de letrinhas: aprendi a escrever meu nome com as letrinhas de macarrão que ia alinhando na borda do prato, me lembro que o *y* era difícil de achar, procurava no meu prato, ia ver no prato dos outros que acabavam me enxotando. Tinha então que recorrer ao caldeirão fervente com todas as letras borbulhando lá no fundo.

Ervagens

Começou por dizer que trabalhava no campo desde menino e que era parente bem longe de Bismarck, por acaso eu já tinha ouvido falar em Bismarck? Fiz que sim com a cabeça e ele apertou os olhinhos azuis como duas continhas. Coçou o queixo com a barba branco-amarelada e no sorriso mostrou os dois caninos que lhe restaram, avariados mas resistindo. Ich! Ser parente de gente importante não adianta mesmo nada! Concordei e ele apoiou a enxada na árvore. Apontou para uma touceira, Está vendo? É alecrim, o chá de alecrim é um santo remédio para o coração, por acaso meu coração não andava bem? Inclinei-me para a planta e achei graça, claro que ele estava ótimo, qual coração não funciona bem se tem vinte anos? Respirei fundo, o problema é que eu estava apaixonada por um cara que estava se lixando com o meu amor, eu com aquele fogaréu no peito e ele... Bismarck, qual é a erva que acalma o amor, hein?!... Ele não ouviu porque agora estava voltado para um pé de hortelã e que era a melhor coisa do mundo para o estômago, um chazinho sem açúcar depois das refeições, beleza! Olhei desinteressada para o galho com as folhinhas ainda úmidas da chuva, suspirei e apanhei uma folha que triturei entre os dedos, ah! estômago? Esse chá devia servir para os velhos da minha família, que me importava isso? Estava era interessada... O alemão afastou-se capengando um pouco, estava agora fascinado por outra planta da qual arrancou uma folha, essa era a erva-cidreira que era uma beleza para os nervos, um chá dessa erva era um maravilhoso calmante, ah! que bem faz esse chá. Suspirei, meu Deus, minha loucura era até razoável, o meu mal era o mal de amor, o que era bom tomar para o mal do amor? Não que eu não quisesse amar mas o ideal seria amar menos, sem esse sofrimento... O velho meio surdo resmungou qualquer coisa e colheu uma folha maior da erva que triturou entre os dedos enquanto informava que um chá com a folha da tangerina era uma maravilha para desengrossar o sangue grosso, uma xícara desse chá e o sangue ficava leviano como o sangue de uma criancinha! Ofereceu-me a folha aveludada e espessa. Guardei a folha no bolso enquanto ele prosseguia avisando do perigo de cortar a gripe com pílulas, injeções, uma gripe tem que madurar até o catarro, com o perdão da palavra, se desgrudar do peito, porque do contrário, pode até virar uma tísica!

Aproximei-me, puxei-o pelo braço antes que se afastasse para o arbusto adiante, Sim, mas e a tisana para o mal do amor?! Tinham me informado que ele também conhecia as ervas para acabar com aquela aflição, mesmo dormindo eu estava acordada assim como o dragão da história, tanta tensão! Não confundir com tesão porque tesão não se usava nem mencionar nessa época, as emoções eram muito espirituais: alma esbraseada e quando se dizia alma não se pensava noutra coisa, veja, um colega lá da Faculdade que falava nas vantagens do amor livre foi apelidado de Amor Livre mas podado das festas familiares. E no nosso grupo só tinha festinha familiar.

Mal de amor? Ah, mal de amor — repetiu o alemão apertando os olhinhos incrivelmente jovens. Sorriu. E num tom assim secreto disse que havia de fato uma erva rara que abrandava essa doença, era uma maravilha de erva mas muito difícil de encontrar porque não nascia assim à beça, não! Tinha apenas um pé lá perto da sua casa, pé já meio mofino porque alguém que descobriu os efeitos andava levando as folhas, até os brotinhos arrancaram com a unha mas ele já tinha tirado a muda que estava crescendo forte, graças a Deus! Tomei-lhe a mão escamosa, e então? Podia me trazer algumas folhas? O alemão se empertigou assim tão altivo que de repente ficou parecendo um príncipe, sim teria todo o prazer em ajudar a mocinha mas isso só amanhã porque já estava anoitecendo, não? Amanhã, nessa mesma hora ele até traria uma muda plantada numa pequena lata, eu podia até levar essa lata quando viajasse, beleza de chá para o tormento do amor! Pegou a enxada, ficou novamente velho e com a enxada no ombro lá se foi capengando pela picada barrenta, Amanhã, amanhã!

Quando eu já ia chegando na sede da fazenda me lembrei num susto, não! amanhã eu devia viajar bem cedo, logo no primeiro trem para chegar antes da prova oral, era o fim das minhas férias e do convite, será que iriam me convidar novamente?! Ah, Bismarck, Otto Von Bismarck! fiquei chamando aos gritos, tem que ser hoje!

No silêncio do descampado, a penumbra. Baixei a cabeça, ah! Bismarck, Bismarck, tinha que levar a erva hoje! Olhei pela última vez para trás e só ouvi a resposta de um passarinho, o fogo-apagou repetindo, repetindo que o fogo já tinha apagado, fogo-apagou-pagou-pagou...

Marrecas Selvagens

Algumas marrecas atravessam o lago voando na superfície, tão rasteiras no voo que as patas vão roçando as águas, deixando um leve sulco que logo desaparece em seguida. Mas outras marrecas fazem essa travessia lá no fundo do lago: submergem completamente para só ressurgirem na outra margem. Então soltam gritos, as asas pesadas de lodo, arrastando ainda nas patas os restos de plantas aquáticas. Eu prestava mais atenção nas marrecas que escolhiam o fundo.

As Frases Fatais

Li numa revista a declaração de uma feminista norte-americana: "Será maravilhoso envelhecer um dia e poder me instalar tranquila num banco de jardim, sem que apareça um sedutor frustrado procurando puxar conversa".

Não acho maravilhoso envelhecer. A gente envelhece na marra, porque não há mesmo outro jeito, já fui a tantas estações de águas, já bebi de tantas fontes — onde a Fonte da Juventude, onde? Quanto ao banco de jardim, se um sedutor (frustrado ou não) vier conversar comigo, não me parece isso um horror, basta me levantar e ir sentar em outro banco. Pode ser também que o sedutor frustrado nem queira seduzir mas falar apenas na sua frustração, já vi tanto desconhecido querer falar sobre seus problemas. Então a gente ouve ou não ouve. Horror mesmo seria se me sentasse num banco de jardim e as pessoas fugissem de mim, sim, eu ficaria muito triste.

Frase fatal de outra feminista, mulher que admiro muito: "Odeio os homens e ainda assim me deito todas as noites com o homem que amo!".

As contradições. Mas esse ódio generalizado pelos homens não vai acabar por contaminar esse seu amor no particular? Essa amarga vontade de vingança só pode desviar essa importante Revolução da Mulher — a mais importante revolução do século xx — dos seus verdadeiros objetivos. Às feministas mais exaltadas, quero lembrar a frase que Che Guevara disse no diálogo com seus revolucionários: “É preciso endurecer mas sem perder a ternura”.

As Frases Ideais

Volto a Simone de Beauvoir e dela destaco esta frase, marco elementar desde o início da luta: "Somente o trabalho fora do lar é capaz de ajudar a plena realização psíquica e social da mulher".

Mas e a retaguarda dessa mulher que vai trabalhar fora? Como fica essa retaguarda? A Professora Moema Toscano dá a resposta certa: "Enquanto não se superar a necessidade da empregada doméstica (como acontece nos países desenvolvidos) eu não acredito que possa haver um feminismo no Brasil."

Revolução na Igreja

Dona Petronilha — vamos chamá-la assim, pois como não conheço mesmo ninguém com esse nome, servirá ele para batizar essa dama. Dama que existiu com sua voz macia e olhos de aço, marcando com seu perfil agudo a minha infância. Falar em Dona Petronilha era falar em alma piedosa, sem orgulho, pronta para se dedicar às obras de caridade que o jornal local apregoava e que o padre mencionava nos sermões de domingo. Tinha cadeira cativa na igreja, controle total das quermesses no Largo do Jardim, nome gravado no mármore da biblioteca e opinião acatada pelo juiz quando a pequena sala do fórum se agitava nos julgamentos locais. Afinal, quem ajudou a reconstruir a cadeia?

Deixou-lhe o marido uma fortuna acumulada em negócios de usura, mas como quem dá aos pobres empresta a Deus, era ela exigentíssima quanto às fortunas alheias. Tirou do asilo três órfãs que trabalhavam de graça em sua bela casa mas não se deduza disso que Dona Petronilha era avarenta, ao contrário, quem fez a doação dos preciosos livros encadernados que enchiam as estantes da biblioteca?

Dona Petronilha. Quem deixava na coleta que era passada durante a missa a maior esmola? Dona Petronilha. É verdade que os tais livros doados foram todos escolhidos por ela, seleção rigorosa, "nada de imoralidades ou pregações políticas!". Também os leitores eram selecionados porque faziam parte de um clube sob sua presidência: Só aceitamos sócios educados, dizia ela, e não essa gente de mãos sujas.

Comovido com tamanha generosidade, além da cadeira cativa o padre já lhe assegurara uma gaveta funerária na igreja, os dizeres esclarecendo na pedra por que razão mereceu essa dama tal homenagem póstuma. Mas poderia ser de outra forma? Natural que seu nome liderasse a lista das patronesses nos espetáculos beneficentes, natural vê-la ainda dirigindo como fundadora, o jornal dos literatos da cidade: "Não pretendo em absoluto me intrometer nos trabalhos desses jovens mas quero, isto sim, orientá-los!". Orientou também o grupo teatral quando o grupo resolveu representar o poema "As Máscaras": em meio dos ensaios, como achasse fortes demais os arroubos amorosos de Arlequim, aconselhou alguns cortes drásticos e tão profundos que o rapaz que fazia o papel ameaçou abandonar tudo, não fosse a habilidade com que ela resolveu o impasse: fico com metade dos ingressos e faço questão de presenteá-los com as fantasias. Mas quero adiantar que só comparecerei se forem feitos os tais cortes que sugeri. Vocês são livres, meus queridos, vocês decidem.

Compareceu. E se nunca foi a passeatas marchando com Deus e pela Família é porque naquela época não havia nenhuma iniciativa nesse sentido e nem era preciso.

Lembro-me agora da figura bem desenhada de Dona Petronilha: a voz macia e olhos de aço. E vejo nessa figura da minha infância o símbolo da burguesia diante da qual se curvavam os poderes públicos e a Igreja. Tudo em miniatura, é certo, cidade pequena, igreja pequena, prefeitura mínima. Mas o mesmo funcionamento da engrenagem das grandes máquinas: no centro, Dona Petronilha e em redor, a massa encardida do povo de mãos sujas e boca aberta para as reivindicações.

Vejo agora a nova Igreja se libertando dessa burguesia. Vejo a nova Igreja empenhada na mais corajosa das revoluções para superar a Igreja do passado, intransigente, paternalista e cujo destino do altar, como acentuou Tristão de Athayde, se confundia com o destino dos tronos.

A História Fragmentada

Se sou amada, tenho esperança — descobri hoje cedo. Mas amada por quem? Não por mim mesma, seria pedir demais. Pensei em telefonar para os amigos mas hoje os amigos estão ocupados. Ou ausentes, viajando, é muito grande o número das pessoas em trânsito. O único telefone que tentei me respondeu polidamente *Isto é uma gravação, queira deixar o seu nome ou o recado. Muito obrigada*. Tudo isso com um fundo musical, *Night and Day*. Liguei mais uma vez só para ficar ouvindo a musiquinha. Tentei ler, fui pegar as *Confissões* de Santo Agostinho que hoje a leitura deve ser mística, já que não fui à missa, lembrei que faz muitos anos que não vou à missa porque tenho que trabalhar na minha mesa. E minha mesa está em desordem e também aqui dentro. Dialogar comigo mesma, pensei depois que li no pórtico do livro: "Criastes-nos para Vós e o nosso coração vive inquieto, enquanto não repousa em Vós". Diálogo, senão com Deus, ao menos comigo, mas me dizer o quê?

Comecei a escrever estes fragmentos: fiquei sendo a

narradora que me focaliza e me analisa mas sempre através de uma intermediária que seria o terceiro lado desse triângulo. Fica simples, somos três. Perfeito o convívio entre nós porque a intermediária é discreta, tipo leva e traz mas sem interpretações.

O Casal Silencioso

Vita Sackville-West e Harold Nicolson, uma lésbica e um pederasta, mantiveram intacto o seu casamento e foram felizes até a morte — na versão do biógrafo do casal, filho de ambos. Mais estranho ainda considero um casal com relações sexuais regulares (os filhos do casamento iam nascendo tranquilamente), mas que durante trinta anos não trocou uma só palavra. E viviam na mesma casa numa cidade pequena. Não se falaram durante toda a existência que teve a duração do casamento, morreram num desastre de trens. Quando chegava alguém (um empregado ou um amigo) aí então se comunicavam mas sempre através desse terceiro, mais ou menos assim: "Hoje tenho médico às três horas", ela dizia. "Vou precisar do carro, estarei de volta antes das cinco. Mas caso ele queira o carro nesse período, posso tomar um táxi". O amigo (ou o empregado) voltava-se para ele: "Vai precisar do carro nesse período?". O homem encarava o amigo (ou o empregado): "Diga a ela que hoje ficarei em casa o dia todo, poderá dispensar o motorista, obrigado". Quando faltava esse intermediário que podia também ser um dos filhos, simplesmente mantinham-se em silêncio.

Mistérios

Encho a xícara de café bem quente. Acendo um cigarro. Se trabalhar bem, ela poderá mais tarde ligar a tevê e ver um filme antigo de vampiro, aviso. Ou o seriado d'*O Incrível Hulk*, isso se for dia daquela flor de moço virar um gigante verde, arrebentando as camisas. Me detenho nesse detalhe: e essas camisas que ele usa e na hora da metamorfose estalam e ficam reduzidas a trapos? Hein?... Encurtam, enxovalhadas, e reaparecem em ordem, a roupa reconstituída assim que ele volta à aparente normalidade. Mas há tanto tempo o cinema não esclarece esses detalhes, lembra? E aquela jovem que virava pantera em plena rua mas e os sapatos, os brincos?!... Onde vão parar esses acessórios na hora da danação? E como podem eles voltar na cena seguinte? A moça-pantera com seu impermeável de couro e sua boina que ainda estava na moda quando vi esse filme. No desenho animado, o gato Tom dando trombadas na parede, caindo todo fragmentado e os cacos se juntando em seguida, os dentes perfeitos, nenhum vestígio de desintegração. Esses e outros mistérios fora do cinema e que jamais serão revelados, ô felicidade!...

O Escritor e o Leitor

Nada fácil testemunhar este mundo com tudo o que tem de bom. De ruim. Um mundo grande, que vai além da chácara do vigário. Diante de si mesmo, diante do papel o escritor se sente grande porque sua tarefa é digna. Pode ser corrompido mas não corrompe. Pode ser louco mas não vai enlouquecer o leitor, ao contrário, poderá até desviá-lo da loucura.

Et Inquietum Est Cor Nostrum

Volto às *Confissões*. É bom ler Santo Agostinho, repensar nas suas palavras de humildade neste tempo de arrogância. A moda instável, as pessoas instáveis, obsessão pelo novo: durou pouco a moda dos técnicos, me lembro que um candidato, no seu cartaz de propaganda, botou lá o retrato, radiante, o nome embaixo e a ordem: Vote num Técnico! Mas técnico em quê? Ele não dizia e nem era preciso, deve ter sido eleito. Veio em seguida a moda dos executivos: cursos para executivos, restaurantes para executivos, ginástica para executivos, até ônibus, até mulheres... Não durou muito, o brasileiro é inconstante e veio a moda dos psicólogos. Centenas de psicólogos de avental branco, defendendo tese e abrindo consultório, orientando nas escolas e dando cursos em serviços sociais e particulares — enfim, se a situação deu uma piorada, não foi por falta desses profissionais. Mas eis que já vem por aí, como uma cachoeira cobrindo tudo, a moda dos sexólogos. Só se fala em sexologia para crianças, adultos, velhos, alegria, meus velhinhos! que os sexólogos resolvem qualquer problema. Ou, pelo menos, esclarecem.

16 de Dezembro

Meu menino foi se chegando, a festa ainda no meio quando ele se chegou com aquele jeito assim de quem não estava querendo nada. Sem a menor pressa, em silêncio, encostou a cabeça no meu ombro. Apoiou-se mais e foi levantando a perna. Não venha me dizer que você quer subir no meu colo! eu disse fingindo espanto. Mas ele não queria dizer nada, aprendera com os grandes que às vezes o silêncio é muito mais convincente do que a palavra. O movimento, ele completou de repente subindo nos meus joelhos e se enrodilhando em seguida, transbordando quase (tinha crescido tanto) mas cabendo ainda no pouso ao qual estava acostumado. Mas desse tamanho e ainda querendo colo, filho? Queria. Daquele tamanho mesmo queria uma só coisa em meio da festa: colo. Em vão lembrei que era cedo ainda para dormir, a festa era dele, não queria mais uma fatia de bolo? E que tal um sorvete? Ah! e o teatrinho do João Minhoca, o moço já estava montando os bonecos, então ia perder o João Minhoca?! Já estava perdido porque agora ele dormia profundamente. Tranquilo. Vai me amarrotar todo o vestido, eu me queixei ajeitando-o melhor (tão grande) e limpando a baba — fio dourado que já lhe escorria da boca entreaberta. Mas como ele cresceu neste último ano! pensei. Pensei ainda que aquela bem podia ser a última vez que ele me pedia para dormir no colo, andava tão independente, tão consciente da sua condição de homem. Quem sabe não seria mesmo a última vez que o tinha assim tão completamente meu como o tivera um dia? Assim tão junto que formávamos ambos um só corpo. Baixei os olhos cheios de lágrimas quando senti (tão próximo) o doce cheiro de poeira e suor com uma vaga memória de sabonete. Senti na pele o calor da baba que me varou o vestido. Contornei-o frouxamente com os braços como costumava contornar o ventre quando não sabia o que fazer com as mãos. Entrelacei os dedos que se fecharam num círculo.

O Direito de Não Amar

Se o homem destrói aquilo que mais ama, como afirmava Oscar Wilde, a vontade de destruição se aguça demais quando *aquilo* está amando um outro. O egoísmo, o traço mais poderoso de qualquer sexo, transborda então intenso, borbulhante como água em pia entupida, artérias e canos congestionados na explosão aguda: "Nem comigo nem com ninguém!". Desse raciocínio para o tiro, veneno ou faca, vai um fio.

A segunda porta foi a que escolheu aquele meu colega de Academia quando descobriu que a pior das vinganças é não matar mas deixar o objeto amado viver, viver à vontade, "Pois que ela viva!", decidiu ele na sua fúria vingativa.

Amou-a perdidamente. Acho que nunca vi ninguém amar tanto assim, talvez com a mesma intensidade com que ela amava o primo, disse isso mesmo numa hora de impaciência, Estou apaixonada por outro, quer ter a bondade de desaparecer da minha frente? Mas o meu colega (vinte anos?) acreditava na luta e como ele lutou, meu Deus, como ele lutou! Tentou conquistá-la com presentes, era rico. Depois, com intermináveis poemas de amor, era poeta. Na fase final, no auge da cólera — era violento — começou com as ameaças. Ela guardou os presentes, rasgou os poemas, fez a queixa a um tio que era delegado da seção de homicídios e foi cair nos braços do primo sem o recurso das rimas e dos diamantes mas que conseguia fazê-la palpitar mais branca e perfumada do que a açucena-do-campo.

Meu colega dava murros nas paredes, nos móveis. Puxava os cabelos, "Ela não tem o direito de me fazer isso!". Com a débil voz da razão, tentei dizer-lhe que tinha esse direito de amar ou não amar, vê se entende essa coisa tão simples! Mas ele era só ilogicidadee desordem: "Vou lá, dou-lhe um tiro no peito e me mato em seguida!", jurou. Mas a tantos repetiu esse juramento que fiquei mais tranquila com a esperança de que a energia canalizada para o ato acabaria se exaurindo nas palavras.

O que aconteceu. Uma noite ele me procurou todo penteado, todo contido, com um sorrisinho no canto da boca, sorriso meio sinistro, mas lúcido: "Achei uma solução melhor", foi logo dizendo. "Vou ficar quieto, que se case com esse tipo, ótimo que se case depressa porque é nesse casamento que está minha vingança. No casamento e no tempo. Se nenhum casamento dá certo, por que o deles vai dar? Vai ser infeliz à beça! Pobre, com um filho debiloide, já andei investigando tudo, ele tem retardados na família, ih! O quanto ela vai se arrepender, por que não me casei com o outro? Vai ficar gorda, tem propensão para engordar e eu estarei jovem e lépido porque sou esportista e rico, vou me conservar mas ela, velha, obesa, ô delícia!"

Há ainda uma terceira porta, saída de emergência para os desiludidos do amor: não, nada de matar o objeto da paixão ou esperar com o pensamento negro de ódio que ela vire uma megera jogando moscas na sopa do marido hemiplégico, mas apenas renunciar. Simplesmente renunciar com o coração limpo de mágoa ou rancor, tão limpo que em meio do maior abandono (difícil, hein?) ainda tenha forças para se voltar na direção da amada como um girassol na despedida do crepúsculo. E desejar que ao menos ela seja feliz.

Fragmentos

"Esses fragmentos têm alguma ligação entre si?", perguntou-me um leitor. Respondi que são fragmentos do real e do imaginário aparentemente independentes mas há um sentimento comum costurando uns aos outros no tecido das raízes. Eu sou essa linha.

Os Amantes

Estranho, sim. As pessoas ficam desconfiadas, ambíguas diante dos apaixonados. Aproximam-se deles, dizem coisas amáveis, mas guardam certa distância, não invadem o casulo imantado que envolve os amantes e que pode explodir como um terreno minado, muita cautela ao pisar nesse terreno. Com sua disciplina indisciplinada, os amantes são seres diferentes e o ser diferente é excluído porque vira desafio, ameaça. Se o amor na sua doação absoluta os faz mais frágeis, ao mesmo tempo os protege como uma armadura. Os apaixonados voltaram ao Jardim do Paraíso, provaram da Árvore do Conhecimento e agora sabem.

Da Criação

Vejo o Menino Jesus do presépio e o seu cheiro é o mesmo da malinha de couro com os cadernos de escola, o estojo de lápis e o lanche embrulhado no papel de pão. A alegria excitante porque proibida: escrever minhas invenções nas últimas páginas do caderno de desenho que era o mais grosso de todos, copiá-las no fim do caderno para ninguém achar, *ninguém* era a Dona Alzira. O sentimento de pecado e prazer que me tomava quando via os touros cobrindo as vacas no pasto — essa exaltação culposa me possuía ao escrever as histórias nas páginas proibidas. Que Dona Alzira acabou descobrindo: "Por que você andou fazendo aqui esses rabiscos?", me interpelou, sacudindo na mão o caderno. Pela primeira fez a enfrentei e respondi com firmeza que não eram rabiscos mas meus escritos que tive que copiar para não esquecer.

Na minha inocência, eu já sabia por instinto o que viria a ficar tão claro mais tarde: que a obsessão da permanência é inseparável da criação.

Adão

Encontro um antigo colega na livraria. Estranhou o título que vou dar a este livro, mas por que *Disciplina do Amor*? O amor lá tem disciplina? Perguntou e deu a resposta: amor disciplinado nunca foi amor, pode ser método, arrumação no sentido de botar tudo direitinho nos lugares, cálculo, mas amor?! Pois amor não era ilogicidade? Transgressão?

Digo-lhe que a indisciplina está só na aparência, na superfície. Na casca. Porque lá nas profundezas o amor é de uma ordem e de uma harmonia só comparável à abóbada celeste.

Ele ficou me olhando. Arqueou as sobrancelhas, surpreendido. "Mas então eu só conheci o amor superficial? Cada vez que amei foi tanta a insatisfação, a insegurança. Fico em total desordem!"

Desejei-lhe um amor verdadeiro e ele riu, desafiante. Quis saber se por acaso eu tinha atingido no amor essa plenitude celestial. Não respondi. Falamos então sobre política, livros. Mas quando saí da livraria, me vi Adão sendo expulso do Paraíso, o semblante descaído e o olhar no chão.

Não Estamos Sós

É noite e chove sem parar. Comecei por concluir que grande parte da chamada esquerda brasileira é de ordem puramente sentimental, poucos escapam dessa classificação. Todos uns românticos, do gênero chupador de mexerica — diria meu amigo Cordaro Júnior. Eu incluída? Eu incluída. Quero argumentar com ele mas não consigo ir adiante, estou com a pressão baixa, fim da gripe. Não quero polêmica nem comigo mesma, hoje não. Hoje não! Já ouvi o suficiente há pouco, quando o elegante locutor do jornal falado provou por palavras e imagens o nosso atraso e respectiva incapacidade de luta contra a infelicidade e a miséria — uma característica não só do nosso povo mas da nossa civilização. Falou também na bomba atômica mas com nomes tão amenos que quando um belo dia ela estourar na nossa cabeça, nem perceberemos que foi ela que estourou: a morte limpa.

Pergunto ao Pai Celestial o que posso fazer nessa circunstância, Posso fazer alguma coisa? Nada — eu mesma respondo. O que pode fazer um escritor? Escrever e assim mesmo sem insistir nos tais temas desagradáveis porque senão as pessoas fogem espavoridas. Está certo esse locutor do jornal que deve passar nas mãos água de lavanda inglesa antes de anunciar por caminhos mais sutis que a goiaba apodreceu não só aqui mas em outros reinos, o que não deixa de ser um mesquinho consolo: não estamos sós.

Noturno, de Chopin

Nessa ordem de ideias, passo do chupador de mexerica ao chupador de sangue que é um romântico também, ao menos na forma. Ligo o toca-discos, vampiro exige música romântica. *Noturno*, de Chopin. Vou até minha mesa. Que cada qual cuide da rosa do seu jardim, digo em voz alta e dissolvo uma aspirina no copo. A ramificação da dor fina e minuciosa como a folha de avenca. A folha empalidece, se retrai, acendo um cigarro. Os vampiros e sua evolução no cinema e na vida real. Na minha infância, ele era simplesmente um morcego, primo do lobisomem, sugador do sangue de gentes e bichos. "Chupa o sangue e depois assopra", esclarecia minha pajem, uma antologia ambulante do terror. "E quando assopra, tem um sopro tão manso que a gente até esquece da dor da ferida que ele fez."

Só mais tarde conheci o vampiro do cinema, morcego também mas logo renascendo no envernizado Conde Drácula, habitante de um castelo em meio de penhascos e árvores negras. Enquanto brilhava o sol, jazia ele deitado no seu esquife de bronze, com sua bela roupa de ópera, o anel de brasão luzindo no dedo mínimo, a capa caindo em pregas até as sapatilhas com fivelas. Mas assim que anoitecia, voava em forma morcegal até o bosque onde o jovem forasteiro teve a roda da carruagem partida. O morcego faz seu voo de reconhecimento, desce na vertical e num bater de asas mais ligeiro do que um bater de pálpebras, aparece na forma do conde de cartola e luvas brancas, convidando o forasteiro e a noiva a pernoitarem no seu castelo. Esse vampiro clássico (depois é que tomei conhecimento de *Nosferatu*, quase um inocente de tão espiritual) não tinha preferências quanto ao sexo: atacava tanto os moços como as mocinhas. A única condição pelo que pude observar, era que fossem belos e jovens. Nunca vi nenhum Drácula ir sugar uma velhota. E sobravam velhotas e velhotes nesses enredos. Liquidou, sim, alguns velhos, mas por vingança, irritado com esses cientistas amigos da família que ameaçavam interromper-lhe a carreira.

Nas revoluções da imagem, novo tratamento receberam esses mortos-vivos: não mais morcegos de asas penugentas, essa fase primária da metamorfose foi abolida, ficou na moda o vampiro aparecer direto na forma humana, sempre um nobre de cabelos sedutoramente grisalhos e com um encanto perverso no sorriso. Outro detalhe: enquanto seu antecessor atacava homens e mulheres sem preferência de sexo, o vampiro desse estágio demonstrava inequívoca inclinação por mulheres, noivas formosas ou recém-casadas que voltavam desses encontros com ar assim esvaído de uma Madame Bovary saciada, evitando a carícia do marido ou o olhar interrogativo do noivo, "Que dor de cabeça! *sorry*". E escondiam com a echarpe os furos do pescoço, atenção para esse pormenor importante: na antiga versão esses furos eram discretos sinaizinhos que o médico só descobria depois de um exame minucioso na jovem. Já no vampirismo evoluído e em cores, os furos do pescoço são enormes, de bordas intumescidas, quase obscenos de tão profundos. Vemos que o vampiro agora não é apenas o sugador de sangue para sobreviver mas o amante fogosíssimo ao qual elas se entregavam até a morte — mas o que digo? além mesmo da morte, promessa de imortalidade no harém do bem-amado.

Drácula

Para esse harém elas caminharam implacáveis: as brancas tranças de alho dependuradas nas portas e janelas, no estilo de estranhas guirlandas, os crucifixos de ouro e prata pendurados no pescoço, as velas acesas, as orações — todas as defesas eram afastadas nas noites de vampiragem. O sono agitado não durava muito, elas acordavam. E lá iam suspirosas até a varanda que dava para o jardim escuríssimo, as camisolas transparentes, esvoaçantes. Expostas. Fecha essa janela! eu tinha vontade de gritar. Mas obscuramente ficava desejando que não houvesse nenhuma intervenção: era que ela escancarasse a janela na vil conivência com o visitante. Pois que o noivo fosse dormir na outra ala da casa e que ficasse atrás da nuvem no momento, a lua. Propiciação para a vinda *dele*, era terrível, sim mas inevitável! O balcão florido. Nos panejamentos negros da capa, reminiscências do palpitar das antigas asas. O passo veludoso. Ele afasta numa carícia os caracóis que resvalam na face branca. O esgar brusco em meio do silvo salivoso. Os caninos aumentados se cravam na carne tenra do pescoço da desmaiada — vampiro e público se satisfazendo plenamente.

Enquanto eram vivas as eleitas eram muito bem tratadas pelo conde mas assim que morriam e se mudavam com seus caixões para os sepulcros do novo dono, o tratamento era outro. Passada a lua de mel, viam-se reduzidas à condição de servas como as demais mortas-vivas do castelo. Com um simples olhar o ditador dava suas ordens. Castigava duramente as rebeladas, trancava com o cadeado o caixão das amotinadas e às que se mostravam submissas, dóceis, recompensava com incumbências mais delicadas como seduzir os namorados das jovens que ele já começava a rondar.

Nenhuma novidade nesse comportamento vampiresco, todos os vampiros sempre foram refinados machistas e isso a começar pelo verdadeiro Drácula (em romeno, *Drácula* significa "Diabo"), o Conde Vlad Tepes, nascido na Transilvânia no século xv que inspirou toda a série dos escritores jugularianos. Não ficou provado que ele bebia sangue mas se chafurdava de tal modo nas matanças que começou a lenda de que realmente precisava de sangue para viver.

Carmila

O reinado absoluto dos vampiros começou a enfastiar os cineastas, que tal agora uma revolução na tradição vampiresca? E se ao invés do personagem principal ser um homem ele for agora uma mulher e tão terrível quanto seu antecessor? Um matriarcado e no qual os homens ocupariam um lugar secundário, já não é mais um conde-morcego que sai para seduzir, agora é uma condessa-morcega, hein? A bela Carmila (uma francesa) que fisga os caninos agudos nos pescoços das mocinhas, Carmila só ataca mulheres. Pode atacar um homem mas como meio apenas de chegar à mulher desejada: abre-se assim o jogo lésbico, insinuado num dos primeiros filmes da série draculiana, onde ele conquista uma jovem e depois de incorporá-la à sua corte, ordena à morta-viva que vá seduzir a amiga íntima que anda resistindo. De modo discreto já tinha surgido antes indicações de homossexualismo no comportamento do assessor do conde, um morto-vivo inconformado com o procedimento do amo que resolve ficar noivo. Mas em Carmila a situação é cristalina: a morceguinha não faz cerimônia.

Num enevoado cenário barroco, altamente erótico, ainda uma vez o amor e a morte se enlaçam nas raízes do sangue que é a vida. Carmila poderia assim repetir o poema do poeta Novalis: *Suga-me com força, amante,/ até que eu desfaleça/ e possa amar!"*.

Obediente ao convencional modelo masculino a Condessa Carmila também acaba transformando suas seduzidas em servas. Não abre mão do poder e através dele cria seu matriarcado parecido com o patriarcado dos antigos donos do castelo da Transilvânia. A roda da História recomeça o seu giro, pois nos enredos dos nobres também não há outra saída.

Enquanto Se Vai Viver

Por que a morte me estarrece assim, como se fosse a primeira vez, como se nunca antes? A rara morte, três ou quatro. Com as outras, tudo normal ou quase: o choque. A introspecção com uma consolação filosofante. O apego maior a Deus. A cristalização da dor, pequenas pedras que vou guardando na minha mesa, de vez em quando tomo uma, sinto-lhe a forma, o calor, aperto-a com força na gruta da mão. Devolvo-a ao seu lugar. Mas três ou quatro mortes me arremeteram à infância, a certas noites de tamanha fragilidade e medo, como se não fosse amanhecer nunca mais.

A memória se abre na mesa, baralho de cartas marcadas, escolho uma assim ao acaso. Este é um jantar, foi em 43? Ou em 44? Não importa. Erico Verissimo chega com uma capa de chuva, cachecol azul-marinho e chapéu desabado, faz frio. Chegam alguns colegas lá da Faculdade, alguém me entrega um violão, toco mal, mas o que é bem ou mal nessa idade? O calor do vinho, o calor da glória que vinha dele, tudo era importante, ah! que emoção quando cantamos a cantiga, os versos se referiam à Segunda Guerra Mundial:

Quando se sente bater/ no peito heroica pancada,/ deixa-se a folha dobrada/ enquanto se vai morrer.

Erico Verissimo faz perguntas sobre a participação dos estudantes na Força Expedicionária: sim, vários dos nossos já tinham partido, estavam lutando na Itália. O colega poeta se levanta e com voz embargada fala do amor e da morte enquanto faço no violão um grave fundo musical. Erico Verissimo elogiou o poema, elogiou o meu violão mas reagiu na hora: éramos tão jovens, que conversa era essa, só desencanto, pessimismo, que horror! Estávamos mais intoxicados do que os românticos do Romantismo. "Vocês ainda vão ver tanta coisa, meninos, vão viver tanto e viver é bom! Tebas não tem apenas uma mas mil portas! E nessa idade estão todas abertas!".

Fiquei olhando meu copo: através do cristal a vida ficou assim transparente.

Retrato no Jardim

Praça da República. Conto a Erico Verissimo que amo muito esse jardim, frequentei a escola ali em frente, era aqui que eu vinha jogar com as meninas. Quero mostrar-lhe o busto de Fagundes Varela com o nome de Álvares de Azevedo, o escultor (ou quem fez a encomenda?) trocou as cabeças e agora lá está o poeta Fagundes Varela com o nome e o verso do outro: *Foi poeta, sonhou e amou a vida.* Ficou impressionado: "Vês como a glória é incerta, confusa?", perguntou sorrindo e seu sorriso é de um menino. Não podíamos confiar nos outros, melhor cuidarmos nós mesmos da posteridade, decidiu. E chamou o fotógrafo, um velho lambe-lambe que veio com sua máquina antiquada de panos pretos e balde d'água.

"É para a posteridade!", avisou. "Vais caprichar?" Ficamos solenes e empertigados entre os salgueiros. Dias depois escrevi-lhe uma carta metade triste (tinha levado bomba em Direito Civil) e metade alegre, me diverti demais quando fui buscar nosso retrato para a eternidade e o fotógrafo lamentou, o caso é que tinha entrado luz no filme, aquele estava perdido. A glória velada.

A Hora do Sétimo Anjo

Rua Felipe de Oliveira. Estamos sentados no pequeno pátio da casa. Choveu há pouco e o perfume das flores vem úmido. Intenso. De vez em quando um neto de Erico Verissimo se aproxima, diz um segredo no ouvido de Mafalda e foge de novo, afetando encabulamento. Procuro identificar os *gringos*, os mais lindos da rua, ele avisou. Na saída espiamos o quarto das crianças, elas já estavam dormindo. Reconheço a menininha com cara de amendoim torrado, assim ele a descreveu. Quer me mostrar os desenhos que ela faz, estamos agora na sua *toca*. Sou um urso, ele avisa e se anima quando lhe pergunto pelo novo livro: será um romance, já tem até o título *A Hora do Sétimo Anjo* — não era um bom nome? Mostrou o desenho que seria o esboço da capa, uma brincadeira que fez de parceria com a neta. Quando me fixei no seu rosto, vislumbrei nele uma certa luminosidade, era noite sem lua, já estávamos na calçada e aquela tênue fosforescência — mas de onde vinha? O céu baixo, nuvens roxas. Sombras. E a doce claridade fazendo-o mais nítido e singularmente mais distante.

Entrei no táxi. Recomeçou a chover, olhei para trás. Ele já tinha desaparecido.

Cavalos Selvagens

O homem de grandes negócios fecha a pasta de zíper e toma o avião da tarde. O homem de negócios miúdos enche o bolso de miudezas e toma o ônibus da madrugada. A mulher elegante faz *cooper* e sauna na quinta-feira. A mulher não elegante faz feira no sábado. A freira faz orações diariamente em horas certas. A prostituta faz o *trottoir* todos os dias em certas horas. O patriarca joga *bridge* e faz amor segundo o calendário. O operário joga bilhar e faz amor nos feriados. Homens, mulheres e crianças — todos com seus dias previstos e organizados: amanhã tem missa de sétimo dia, depois de amanhã tem casamento. Batizado na terça e na quarta, macarronada, que a feijoada fica para sábado, comemoração prévia do futebol, a vitória certa, ora se!... As obedientes engrenagens da máquina funcionando com suas rodinhas ensinadas, umas de ouro, outras de aço, estas mais simples, mais complexas aquelas lá adiante, azeitadas para o movimento que é uma fatalidade, taque-taque taque-taque... Apáticos e não apáticos, convulsos e apaziguados, atentos e delirantes em pleno funcionamento num ritmo implacável.

Às vezes, por motivos obscuros ou claros, uma rodinha da engrenagem salta fora e fica desvairada além do tempo, do espaço — onde? A máquina prossegue no seu funcionamento que é uma condenação, apenas aquela rodinha já não faz parte dessa ordem. "É um desajustado", diz o médico, o amigo íntimo, o primo, a mulher, a amante, o chefe. Há que readaptá-lo depressa à engrenagem familiar e social, apertar os parafusos docemente frouxos. Se o desajustado é um adolescente, mais fácil reconduzi-lo com a ajuda de psicólogos, analistas, padres, orientadores, educadores — mas por que ele ainda não está nos eixos? Por que certas peças ainda resistem assim inconformadas? Não interessa curá-lo mas neutralizá-lo: taque-taque taque-taque...

Pronto, passou a crise? Todos concordam, ele está ótimo ou quase. Mas às vezes o olhar toma aquela expressão que ninguém alcança. Enfim, é o desatino e a alegria. Volta o fervor antigo, cólera e gozo nos descompromissamentos e rupturas — aguda a lembrança violenta do cheiro de mato que recusa o asfalto, o elevador, a disciplina, ah! vontade de fugir sem olhar para trás, desatino e alegria de um cavalo selvagem, os fogosos cavalos de crina e narinas frementes, escapando do laço do caçador. Na história de Arthur Miller, eram os pobres cavalos selvagens destinados a uma fábrica que os transformaria num precioso produto enlatado. O instinto, só o instinto os advertia das armadilhas nas madrugadas. E fugiam galopando por montes, rios, vales — até quando?!...

Inexperiência ou cansaço? Cavalos e homens acabam por voltar à engrenagem. Muitos esquecem mas alguns ainda se lembram e o olhar toma aquela expressão que ninguém entende, ânsia de liberdade. De paixão. Em fragmentos de tempo voltam a ser inabordáveis mas a máquina vigilante descobre os rebeldes e aciona o alarme, mais poderoso o apelo, taque-taque TAQUE-TAQUE! Inútil. Ei-los de novo desembestados: "Laçá-los é o mesmo que laçar um sonho".

A Decisão

O homem entrou em casa e com passadas firmes foi reto procurar a mulher que estava na cozinha enchendo a chaleira d'água. Ele tinha a cara rubra, os olhos brilhantes mas os lábios estavam brancos e secos, teve que passar a ponta da língua para separá-los, a saliva virou cola? Dizer o que estava querendo dizer há mais de cinco anos e não dizia, adiando, adiando. Esperando uma oportunidade melhor e vinha a oportunidade melhor e faltava a coragem, esmorecia, quem sabe na próxima semana, depois do aniversário do Afonsinho? Ou em dezembro, depois do aumento no emprego, teria então mais dinheiro para enfrentar duas casas — mas o que é isso, aumento nos vencimentos e aumento da inflação? Espera, agora a Georgeana pegou sarampo, deixa ela ficar boa e então. E então?! Hoje, HOJE! Tinha que ser hoje, já! As grandes decisões eram assim mesmo feito uma batalha, seguir a inspiração do momento e o momento era inadiável, maduro. Estourando como um fruto, ele estourando também, aproveitar essa energia de lutador que lhe viera de um jato, sentiu-se um Napoleão, o dedo apontando na direção do inimigo, avançar! Avançou e a fala ficou sem pausa e sem hesitação, fala treinada há cinco anos, a flecha no alvo, depressa! Ia deixá-la, era isso, ia deixá-la porque estava loucamente apaixonado por outra e de joelhos pedia perdão pelo sofrimento e pelo desgosto, está certo podia chamá-lo de crápula por deixar uma esposa tão perfeita e uns filhos tão queridos mas se ficasse a vida acabaria num inferno tão insuportável que era melhor dizer tudo agora porque ia morrer se não dissesse esta coisa que lhe caíra na cabeça como um tijolo! Era uma paixão avassaladora, talvez se arrependesse um dia e até se matasse de remorso mas agora tinha que confessar, estava apaixonado por outra e ela devia entender e mais tarde os filhos iam entender também que tinha que ir porque estava APAIXONADO POR OUTRA — Você está me ouvindo?

A mulher ainda tentava acender o fósforo úmido, não conseguiu. Riscou outro palito e o palito falhou e experimentou um terceiro enquanto lhe gritava que chegasse dessa brincadeira besta, já não bastavam as crianças que hoje estavam impossíveis e também ele agora atormentando, hein?! Empurrou-o na direção da porta, Mas vamos, não fique aí com essa cara, depressa, vá buscar uma caixa de fósf... ah! graças a Deus que este não molhou, vontade de um café bem quente, café com pão, de qualquer jeito ele tinha que sair para buscar pó de café e depressa que logo a água estaria fervendo, queria o pó moído na hora e meia dúzia de pãezinhos que deviam estar saindo do forno! E levasse também o Júnior que estava se pegando lá na rua com o irmão, Mas se mexa, homem! Está com dinheiro aí? E claro, compre também um pacote de fósforos marca Olho que este é da marca barbante para não dizer outra marca que começa com *m* (enxugou as mãos no avental), como se não bastassem as gracinhas do filho e também ele com as brincadeiras debiloides, estava um pouco velho pra brincar assim, não?

O homem pegou o Júnior pela mão, foi buscar o pó de café, os pãezinhos, os fósforos e não brincou mais.

Nem Voz Nem Vez

Encontro com um antigo colega da Faculdade que resolveu ser professor universitário. Defesa brilhante de tese. Cursos de aperfeiçoamento no exterior. Voltou, casou. Cinco filhos. Leciona em duas faculdades e nas pausas faz viagens para dar aulas extras na periferia e se fala em viagem é porque essa periferia ficou por demais periférica, o tempo que perde nos transportes. É que tem um filho com graves problemas psíquicos, gasta demais com esse filho, "Uma anormalidade!", exclama e eu não sei se ele se refere ao filho ou aos gastos. Me convida para tomar um café e prossegue falando, precisa falar, interrompeu a análise e nem sobra dinheiro para os supérfluos, tem que aproveitar os amigos com paciência de ouvir: a mulher também lecionava mas concluíram na ponta do lápis que seria mais econômico se ela ficasse cuidando da casa, fazendo trabalhos domésticos, ela que era uma psicóloga tão talentosa, feminista ativa, estava justamente fazendo uma pesquisa sobre o mercado feminino de trabalho e interrompeu tudo — também ele interrompe a frase, está desolado. Mas uma coisa é a teoria e outra coisa é a prática, onde uma creche lá nas redondezas? "Ilusões", diz e olha nostálgico para o cigarro que acendi, faz dois meses que deixou de fumar porque tem que pensar nas prioridades e prioridade era a saúde, uma disciplina feroz para aguentar o tranco, nem álcool nem fumo. Apago meu cigarro e ele aspira o resquício de fumaça que ficou no ar: ganha vencimentos tão vencidos que nem tenho coragem de transcrevê-los aqui. Faz ironia com o destino que o fez nascer no Brasil onde o ideal seria inventar fardas obrigatórias para os professores, poupando-os do vexame de se apresentarem quase andrajosos. Lembra que nessa faculdade onde ganha esse salário ridículo esteve um cantor da moda que recebeu uma pequena fortuna só numa noite, cantando no seu violãozinho, blu-blu-blu, blu-blu-blu.

Nascer no Brasil até que é bom, meu querido. O triste é não ter voz. Nem ter vez.

A Voz do Próximo

Quando ela se achou velha, resolveu dependurar as chuteiras (nos negócios do amor, nunca foi uma jogadora do primeiro time) e assumir a velhice. Então ouviu a voz do próximo: "Que horror, mas como uma pessoa se entrega desse jeito? Ficou até desleixada, presença negativa, parece que resolveu envelhecer e envelheceu sem lutar, só pode ser neurose, há de ver, quer provocar piedade, é uma punitiva!".

Muito impressionada com o que ouviu ela resolveu reagir. Fez plástica, pintou os cabelos, comprou roupas da moda e começou a namorar outra vez. Então ouviu a voz do próximo: "Mas que ridículo! Caindo de velhice e ainda fazendo charme, uma desfrutável! Já puxou a cara três vezes, se pinta feito uma palhaça e ainda namorando um moço que podia ser seu filho! Devia se recolher, ir rezar!".

Muito impressionada com o que ouviu ela resolveu se afastar da vida frívola, das vaidades do mundo e na solidão decidiu entrar para um convento, quem sabe no convento?... E se encontrando, quem sabe encontraria Deus? Então ouviu a voz do próximo: "Depois de velho o Diabo faz-se ermitão!

Vê se é possível uma vocação assim retardada, por que agora essa mania de religião? Imagine se isso vai durar... Quando descobrir que ninguém está ligando, deixa de bancar a santa, hein? Pode ser também que esteja esclerosada, esclerose!".

Muito impressionada com o que ouviu ela resolveu sair do convento e num dia de depressão mais aguda decidiu se matar. Mas queria uma morte silenciosa, sem chamar a menor atenção — se possível, sem deixar sequer o corpo, ah! estava tão triste consigo mesma que nem o enterro merecia. Tirou a roupa para não ser identificada, dependurou na cintura uma sacola com pedras e entrou no rio. Então ouviu a voz do próximo: "Está vendo? A vida inteira ela só quis uma coisa, se exibir, se mostrar! Uma narcisista até na hora em que cismou de morrer, imagine, entrar nua no rio! No velho estilo para provocar escândalo. Só para comover mas a mim é que não comoveu, ao contrário, fiquei tão decepcionada, que ideia de querer fazer da morte um espetáculo!".

Muito impressionada com o que ouviu e ouviu mal, a voz do próximo estava longe demais, quase apagando, ela quis gritar de alegria, ô Deus! — se preocupando com o juízo alheio, que maravilha não ter morrido! Quer dizer então que alguém entrou no rio para salvá-la? Maravilha, coisa extraordinária... Mas afinal onde estava agora? No hospital? Se estava ouvindo mal, embora!, é porque estava viva! Pena não poder nem falar, o corpo também insensível, nem sentia o corpo mas se estava ouvindo, hein?! Se estava ouvindo! Ah! como demorou para entender que os outros, ora, os outros?! Estava viva! Então ouviu a voz do próximo e dessa vez mais longe ainda, era apenas um sopro que pediu: Depressa, a tampa, já estava passando da hora de fechar o caixão.

Disco Voador

Ubatuba é uma deliciosa praia do litoral paulista: despojada, simples, ela como que se preservou das tentações de um mundanismo sofisticado e lá se conserva com suas praias ainda intactas e sua cidadezinha de sabor colonial: muitos barcos de pesca, muita batida de maracujá, muita banana-ouro e prata, muita bananada do tipo caseiro. O cinema à noite com velhos filmes de terror. O parque de diversões com sua roda-gigante e suas barracas de tiro ao alvo de inatingíveis alvos. E o silêncio.

Foi do terraço de uma casa nessa praia que Paulo Emílio, o jardineiro e eu vimos um objeto não identificado e que se convencionou chamar de disco voador.

Hesitei em narrar esse episódio porque pude bem imaginar os sorrisos e os olhares desconfiados das pessoas fazendo aquelas caras, disco voador? Tudo invenção de ficcionista, é claro! Acabei me decidindo: uma escritora não pode se recusar a dar testemunho de fatos do seu tempo.

Dia 5 de fevereiro. Três horas da tarde. Estirada numa cadeira de lona eu lia um livro de poesias e ouvia — era bom de ouvir — o barulho das ondas batendo espumosas nas pedras que se erguem defronte do terraço que dá para o mar alto. Céu cinzento, a névoa baixando como uma lâmina de aço até a linha do horizonte. Calor e calma. Então ouvi Paulo Emílio, que estava sentado ao lado, dizer num tom de voz meio vago: "Olha lá... Tem uma coisa no céu". Prossegui lendo e logo ele retornou: "Está brilhando tanto! Vai ver é um disco voador". Respondi sem erguer o olhar: Dê-lhe minhas lembranças.

Mas ele se levantou de repente, assim num susto, a voz emocionada: "Depressa! Venha ver!...". Levantei-me e olhei na direção que ele indicou: uma grande luz branca, de forma irregular, cintilava como uma estranha estrela no fundo de aço do céu. *Como uma estranha estrela* porque era maior do que uma estrela. A luz mais clara, sem as cintilações vermelho-azuladas, luz branca feito a luz de um raio, imóvel no primeiro instante. Porque logo em seguida iniciou um movimento de deslocação para a esquerda e para o fundo do céu. Um helicóptero? Foi o que me ocorreu no primeiro momento. Não, não era um helicóptero. Um balão? Não, nunca um balão faria aquele movimento que se acelerava tanto que tive a impressão de que a coisa ia cair no mar. Mas assim que ficou alguns dedos apenas acima da linha do horizonte, a coisa começou sua marcha da esquerda para a direita, apagando e acendendo, apagando e acendendo num ritmo de pulsação tum-tum, tum-tum... A trajetória entrecortada no foco de luz me fez pensar num coração cintilante, apagando e acendendo, tum-tum, tum-tum — um coração silencioso palpitando rápido e fugindo, levantei a mão e fui abrindo e fechando os dedos para imitar seu palpitar, tum-tum, mais longe ainda! Tum-tum — gritei pelo jardineiro que estava lidando com suas folhagens, Depressa, venha ver depressa. Queria o testemunho de um caiçara tosco. Foi a terceira testemunha: pôs as mãos em concha em torno dos olhos, estava vendo, sim, representava uma estrela mas como uma estrela pode andar desse jeito e no dia claro?

Quanto tempo teria durado essa segunda fase do objeto acendendo e apagando compassadamente na sua marcha horizontal? Dois minutos: três? Foi como se a Terra tivesse parado, tudo parado em redor, o mar petrificado, os pássaros mudos, nem brisa nem folha, também nós estáticos — só a luz branca se movendo na amplidão, o acender cada vez mais reduzido, não passava agora de um pontinho do tamanho da cabeça de um alfinete. Desapareceu.

Um meteoro? Um satélite? Ou a explosão de uma estrela? Mas aquele movimento regular da luz apagando e acendendo na sua marcha controlada como uma lâmpada — aquele movimento de um coração mecânico. E então? Decididamente, o que há entre o céu e a terra ultrapassa nossa vã enumeração.

Mister Hom Tim-Tim

Abro a lata de chá que Mister Hom Tim-Tim me deu em Shangai e esse perfume (papoulas?) me faz lembrar do seu sorriso fino e da sua voz profunda. Mister Hom Tim-Tim conta que na China não tem mais nem prostitutas nem moscas. Fiquei pensativa: moscas era mais fácil de fazer desaparecer mas prostitutas?! Nenhuma prostituta, Mister Hom Tim-Tim? Ele então esclareceu que o tratamento que lhes era dispensado era de tal modo persuasivo que só mesmo por pura burrice elas voltavam a reincidir. O argumento era por demais inocente, mas então é possível mudar a cabeça do ser humano? No caso, da mulher que quando cisma, o senhor está me compreendendo? Só matando! Ele concordou, impossível fazer mudar uma cabeça mas os métodos, insistiu, os métodos que empregavam eram de tal forma convincentes... Para começar, todas as prostitutas eram encaminhadas para centros de recuperação, havia muitos desses centros preparados para recebê-las. Lá, eram tratadas com consideração, reeducadas e orientadas para que quando saíssem já tivessem um emprego garantido, de acordo com as inclinações e habilidades de cada uma. Salário modesto mas digno nesse recomeço de vida. Se voltassem a reincidir então o tratamento seria mais severo: encarceradas e desmoralizadas, podiam até sofrer outras punições. Perguntei que punições seriam essas e ele ficou reticente. Achei melhor levantar a última hipótese, e se elas insistissem em transgredir uma terceira vez? Mister Hom Tim-Tim demorou para falar. Quando falou foi para perguntar se eu já tinha provado churrasco de cobra. Não? Sorriu com uma expressão de beatitude.

Srom

Foi o jardineiro surdo-mudo que encontrei certa manhã podando a grama do jardim do meu avô. Quando a lâmina recurva afundou mais, traçando um semicírculo, senti seu hálito de terra e me afastei depressa. Foi a mariposa de prata com olho azul-turquesa desenhado em cada asa, entrou no meu quarto, voejou pesadamente em redor da lâmpada e saiu para a noite. Encontrei-a bem mais tarde na flor de seda lilás do chapéu da antiga professora, convidei-a para um chá numa confeitaria antiquada e do encontro só me ficou aquela flor de pétalas estiradas no chapéu de feltro empoeirado. Voltei a revê-la na madrugada de um aeroporto — Marrocos? Era agora a criança de gorro de lã, dormindo no colo da velha senhora que também cochilava, tudo muito tranquilo até que a velha acordou num susto, como se a tivessem sacudido, acordou e olhou em pânico para a criança dormindo, parecia perguntar, mas quem a deixou aqui? Desviei o olhar. Foi ainda o som do bumbo no escuro, as batidas compassadas de um ritual enquanto o trapezista de malha branca e pés em ponta ia subindo pela corda pendendo do teto, difíceis os movimentos do corpo em contrações de lagarta, subindo com o som do bumbo que avisava em código o que ia acontecer — tapei os ouvidos. Enrolo o fio do tempo, eu era menina e a reconheci na pequena pá de cabo de marfim, meu pai jogava na roleta mas eu olhava o homem de smoking com a pá ágil, recolhendo ou oferecendo as fichas deslizantes, o medo também deslizante indo e vindo sobre o pano verde com os números nos quadrados. Naquele baile de Carnaval não foi a mulher de cílios postiços e luvas de lantejoulas vermelhas? Passei perto do seu camarote, reconheci-a e ela me atirou um punhado de confete na boca.

Desertora de mortos assim que eles morrem, nunca está onde se supõe que ela esteja. Com seu raro poder de mimetismo, toma a forma e o calor dos objetos, fragmenta-se nas pessoas e a única vez que deixou seu nome escrito foi na embaçada janela de uma igreja. MORS, de trás para diante, SROM, era um reflexo no vidro. Em português, MORTE.

As Sereias

Chegou o pacote de livros que encomendei. Deixo o pacote fechado. Chegaram mais livros pelo correio. Levo-os à prateleira da estante onde está uma pequena pilha, aguardando a vez. Recolho na minha mesa as cartas e convites que um dia vou responder e guardo-os numa pasta. Fecho a porta para o telefone. Fecho a minha porta e fico no silêncio. A respiração calma. Não sei se quero escrever, não sei. Aos poucos, varando paredes e telhados chegam os cantos das sereias e alguns desses cantos são fascinantes, nem posso dizer que os reconheço porque estão sempre se renovando em cada brisa. Penso em Ulysses e faço como ele, não tapo os ouvidos com cera porque quero ouvir, mas me amarro com cordas ao mastro do navio enquanto se multiplicam os doces chamados tentando me desviar da minha missão que é a minha vocação. Sinto mais agudo o prazer do risco ao descobrir como tudo conspira (a palavra é essa, *conspira*) para me afastar da minha rota. Cravo o olhar na rosa dos ventos, mais intensa a ansiedade que cresce com os apelos mas sob a ansiedade há uma profunda alegria por estar conseguindo.

Besouros

E se a vida estiver lá fora, naquelas vozes que desdenhei? E se o desvio da minha rota foi exatamente esse que escolhi? Mas haverá ainda tempo? eu pergunto.

Fico olhando o besourinho de pintas vermelhas no verde-esmeralda das asas. Ele atravessa minha mesa num andar enérgico, decidido — de onde veio e para onde vai? Toco-o com a ponta do dedo e imediatamente ele se imobiliza dentro da pequena carapaça, está se fazendo de morto. Sua tática de defesa me emociona, também me fiz de morta tantas vezes! Tenho vontade de colher o besourinho na palma da mão e levá-lo até os potes de samambaia, ele não seria mais feliz em meio das plantas? Fico vacilante, o que é o bem para mim pode ser o mal para ele. A ambiguidade do Bem. Afasto-me para que ele não se sinta tolhido, quero que se sinta livre. Observo de longe a bolinha verde-esmeralda que ressuscita e retoma sua marcha. Retomo a minha.

Delenda Carthago!

Mas não destruíram totalmente e a prova é que lá está ela, uma Cartago em ruínas, mas resistindo ainda bela com seu mármore cor-de-rosa com algumas estrias lembrando uma pálida carne por onde um dia um sangue divagou.

Meus conhecimentos geográficos são subdesenvolvidos, o que aprendi de geografia foi à minha custa, viajando, pisando nos vagos coloridos dos cadernos cartográficos. Onde a Cartago da minha infância, onde?! Tive um cachorro chamado Cartago mas eis um nome imponente para um bastardo do bairro, prevaleceu o apelido, Tago. Fora o cachorro, as aulas transbordantes de proezas de Hércules, guerras napoleônicas e guerras púnicas, verdadeiro caos de mártires e heróis em empastelamento de fogo com as silhuetas de Nero com sua lira enquanto Aníbal, de armadura negra, passava num pé de vento, *Delenda Carthago!*

A Cartago literária veio mais tarde, com Salambô dançando descalça, ô, Flaubert! Da minha ostentação. Como usei Flaubert para impressionar meu namorado quando então citava num francês que acreditava excelente: *C'était à Mégara, faubourg de Carthage, dans les jardins d'Hamilcar...*

— Cartago? Mas Cartago não existe mais! — contestou um amigo, com veemência.

No meu dedo anular estava a prova: o anel de âmbar que um árabe me vendeu num mercado de Cartago dizendo que o anel tinha sido de um santo cartaginês, esquecera o nome do santo. Gostei tanto da invenção que ela acabou sendo verdade, aprimorei-a: Este anel foi de Santo Agostinho, eu disse. Comprado lá em Cartago.

Meu amigo olhou o anel e depois me olhou mais demoradamente.

As Meninas

Sempre fomos o que os homens disseram que nós éramos. Agora somos nós que vamos dizer o que somos — declarou a personagem do meu romance *As Meninas*.

Saint-Hilaire

Revejo algumas notas que andei escrevendo em torno das condições em que o naturalista Auguste de Saint-Hilaire encontrou a mulher brasileira nas viagens que fez ao Brasil por volta de 1819: *As mulheres da zona do Rio Grande, e em geral, da comarca de São João, mostram-se um pouco mais do que as de outras partes das Minas; todavia, como isto não é uso geralmente admitido, e as que aparecem diante dos hóspedes só o fazem calcando um preconceito, mostram muitas vezes uma audácia que tem qualquer coisa de desagradável. Aqui, como no resto da província, as donas de casa e suas filhas enfiavam cautelosamente o rosto entre a parede do quarto em que eu me achava e pela porta entreaberta a fim de me ver escrever ou examinar plantas, e, se eu me voltava de repente, percebia vultos que se retiravam apressadamente. Cem vezes representaram essa comédia.* E mais adiante: *Passara, em duas vezes diferentes, cerca de sessenta dias em casa de um fazendeiro, extremamente distinto, que me testemunhava amizade e pelo qual também professava estima e apreço. Pouco antes de nos separarmos para sempre, ele me disse com embaraço: "Está surpreso, sem dúvida, meu amigo, de que minhas filhas não se tenham jamais mostrado ao senhor? Detesto o costume que me obriga a afastá-las, mas não poderia subtrair-me a ele sem prejudicar-lhes o casamento...". Aliviei de um grande peso esse homem respeitável, respondendo-lhe que eu estava longe de o desaprovar, que não se devia jamais atacar bruscamente as ideias estabelecidas, que era necessário deixar o tempo agir, e que pouco a pouco ele traria uma feliz mudança. Parece que essa ainda não chegou: pois o Sr. Gardner, cuja viagem é recentíssima, relata que foi recebido com a mais amável mudança em uma fazenda onde eu próprio fora dignamente acolhido mas não viu a senhora da casa. Tornada mais idosa, essa senhora não procurou esquivar-se aos olhos do viajante inglês, mas as suas filhas se esconderam assim como ela também o fizera na sua mocidade.*

Ainda um episódio narrado por um amigo de Saint-Hilaire, hóspede numa fazenda onde o fazendeiro estava doente: *Deram-me de jantar; mas como a dona da casa não queria se mostrar, deslizava com a filha por trás do engenho e introduziam os pratos de comida por um buraco.*

Das ajuizadas ponderações do visitante naturalista, destaco isto: "Não se devia jamais atacar bruscamente as ideias estabelecidas, que era necessário deixar o tempo agir, e que pouco a pouco ele traria uma feliz mudança".

Seria possível essa feliz mudança sem a revolução feminista? Jamais. Apesar de todos os equívocos e deformações decorrentes de qualquer revolução, o desafio feito ao universo feminino amadureceu e explodiu inadiável. Inevitável. As demagogias e os erros naturais da inexperiência não prejudicam a causa. "Estou nascendo", disse uma jovem universitária com cara de Capitu. "Posso nascer sossegada?"

Cabra-Cega

Era um jogo da minha meninice — será que ainda brincam assim? Os olhos tapados com um pano, as mãos tateantes. Os sustos. Os gritos. Tiro o pano dos olhos e me vejo de corpo inteiro. Tão nítido esse corpo que conheço tão mal, como ele me escapa! Principalmente na doença, quando não sei o que fazer com ele — mas que corpo é esse? Como posso entendê-lo se não tenho a menor ideia do que se passa lá dentro? Vou de *cabra-cega*, às apalpadelas, tateante, o que em mim é realidade e o que é aparência? Corro até minha imagem e toco apenas no espelho.

O Comilão

Gostava de ostras mas tinha preconceito, evitava olhar para essa coisa que ia comendo apressado, impaciente, a expressão de repugnância mas a boca salivante de prazer. Exigia as ostras vivas porque então o apetite ficava insuportavelmente excitado ao imaginá-las se contraindo na morte sob o sumo do limão. Também gostava de putas.

A Disciplina do Amor (II)

Conheceu-a na pensão alegre da Rosinha Ruiva e passou a procurá-la aos sábados, com hora marcada. Até que achou um desaforo essa história de marcar hora, por que marcar hora? E se a gente tiver vontade de ficar mais tempo junto? Combinou então a noite inteira mas continuou a insatisfação, por que não vê-la também nas segundas e quintas-feiras? A semana era comprida demais, ficariam juntos e ele podia pagar perfeitamente as horas extras, não podia? Começou a ficar inquieto de novo, só três vezes por semana era pouco, queria todos os dias, sim senhora, todos os dias! Acabar com essa história de dividi-la com essa homenzarrada, mulher tem que ser só da gente, era preciso botar um pouco de ordem nisso! Foram morar juntos no Hotel Las Vegas, perto da estação rodoviária, isso enquanto esperavam pelo quarto que um colega de serviço prometeu desocupar quando viajasse para Goiás. Não chegaram a se mudar para esse quarto porque antes da mudança já tinham percebido que aquele amor de fogaréu, beleza de amor!, estava acabado. Ficavam a noite inteira deitados na cama de casal que tinham comprado numa queima da Paschoal Bianco e nada! Domingos inteiros tinham ficado esperando que acontecesse. Não acontecia. Então acendiam o cigarro e ligavam o radinho de pilha no programa de calouros. Ele às vezes chorava, envergonhado, devia estar doente, dava murros na parede. Ela o consolava, se dizia culpada, choravam e iam tomar uma cerveja. Ou uma sopa na casa de uma senhora alagoana que fornecia marmitas. Passaram a falar muito e essas eram conversas tristes, lembranças pesadas que vinham de longe, quando ainda nem se conheciam. Ela lembrava a infância triste. O caso dele era diferente, fora um moleque alegre, depois é que a coisa azedou. Dormiam de mãos dadas. Tinham marcado o casamento para maio, mas em abril, de comum acordo, resolveram se separar. Venderam a cama e o criado-mudo, repartiram o dinheiro, ela ficou com as alianças como recordação e não se viram até chegar junho, quando uma noite ele foi dar uma espiada lá na pensão da Rosinha Ruiva. O coração começou a bater feito louco quando deu com ela toda decotada, bebendo com um tipo. Arrancou-a da mesa aos socos, chegou a se atracar com o tipo que ficou um tigre e depois na cama riram e choraram muito enquanto se amaram com abrasadora paixão. Voltou a vê-la todos os sábados assim como antigamente. Então ele prometeu que quando passasse a ganhar os extras que tinha perdido na confusão da greve, ficariam juntos a noite inteira mas por enquanto convinha se sujeitar ao horário da casa.

O Mercúrio

A febre. O termômetro escapa da minha mão, parte-se o vidro pelo meio e a gota de mercúrio escapa e rola livre no ladrilho. Fico de joelhos tentando pegá-la mas ela foge roliça, densa, foge tão sagaz que me excito com o jogo, alcanço-a lá adiante mas ela entra debaixo do armário e agora me espia com sua pupila prateada, luzindo no escuro. Estendo o braço, toco-a de leve com a ponta do dedo e ela vem resvalando pelo declive do ladrilho, vem ao meu encontro, inteira e intacta, protegida pela imponderável película de poeira que foi recolhendo na fuga. Consigo aprisioná-la, estou radiante, é minha! E a gota se fragmenta numa explosão silenciosa e os estilhaços — mil bolinhas de mercúrio — escorrem pelos meus dedos e se perdem no chão.

Sobre Lygia Fagundes Telles
e Este Livro

"Acho importante [...] a forma como ela lança mão da memória, um componente importante na obra da Lygia. E tem também a dimensão política. [...] É uma escritora que domina a narrativa breve como poucos no Brasil. Além da figura, que é simpaticíssima."
MILTON HATOUM

"*A Disciplina do Amor* é, ao mesmo tempo, o ato de bravura de quem, sem vagas apreensões ou receios insensatos, entrega ao leitor o fio de Ariana para a descoberta do tesouro que, de forma alegórica, é a própria alma da artista a se revelar."
ESTEPHANIA NOGUEIRA

“A experiência transforma-se em ficção na medida mesmo em que a escritora decanta no íntimo as etapas vividas com a plenitude de uma sensibilidade fora do comum, de uma imaginação avassaladora, de uma escrita que se amolda docilmente à linguagem do seu tempo.”
NOGUEIRA MOUTINHO

“Na gramática da ficção curta de Lygia, laços, complicações, combinações, substituições, repetições e competições são algumas e muitas das figuras retóricas que se transformam em matéria efetiva do conhecimento da vida sensual humana.”
SILVIANO SANTIAGO

Alguma Coisa Não Dita

POSFÁCIO/ NOEMI JAFFE

No livro *Sade, Fourier, Loyola*, diz Roland Barthes:

> Se fosse escritor, e morto, como gostaria que a minha vida se reduzisse, pelos cuidados de um amigável e desenvolto biógrafo, a alguns pormenores, a alguns gostos, a algumas inflexões, digamos: "biografemas", em que a distinção e a mobilidade poderiam deambular fora de qualquer destino e virem contagiar, como átomos voluptuosos, algum corpo futuro, destinado à mesma dispersão!

A Disciplina do Amor, de Lygia Fagundes Telles, poderia ser também compreendido como uma coleção de "biografemas", mesmo — e por causa disso — com seu conteúdo ficcional. Na primeira edição do livro, a própria autora, como uma espécie de recado final, advertia que algumas datas tinham sido inventadas e que nem ela mesma saberia dizer quais eram as inventadas e quais as reais. Mas, em se tratando de biografemas, isso não faz a menor diferença. A invenção, que contagia o fato e é por ele contagiada, se relaciona muito bem com "átomos voluptuosos", certamente marcados por seu movimento necessário, mas também pelo acaso, pela dispersão e pelo vazio. É com esse ânimo que o leitor pode empreender a viagem pela disciplina indisciplinada de Lygia, o condutor narrativo deste livro tão particular.

O paradoxo aparente do título do livro não deve confundir o leitor, que pode se perguntar: "Como assim, disciplina do amor?". Mas a própria autora alerta, logo no fragmento inicial, em forma de epígrafe:

"Com sua disciplina indisciplinada, os amantes são seres diferentes", o que seria também uma ótima definição da literatura de Lygia. Sempre se percebe alguma forma de método: nas repetições, na precisão lexical, nos rituais, na rotina. Mas, rasgando esse método por dentro, corroendo-o, algo nessa escrita está sempre se desfazendo, perguntando. Há uma intriga no ar: é a indisciplina rondando. Sem ela, não haveria o mistério, traço fundamental da literatura desta autora que também se diz, em outra aparente contradição, engajada.

A Disciplina do Amor é uma coleção fragmentária de fatos e invenções, pequenos contos e impressões que, aos pedaços, formam uma poética. A partir deles é possível reconhecer vários traços da literatura de Lygia, que se confirmam com maior ou menor densidade e desenvoltura em seus livros propriamente narrativos, romances e coletâneas de contos, como *Antes do Baile Verde*, *As Meninas*, *Invenção e Memória* e outros. Em *A Disciplina do Amor*, livro de 1980, esses traços comparecem desfiados, carregados de vazios, intencionalmente dispersos e diluídos. Traço, neste caso, deve ser compreendido literalmente. Aqui, Lygia realmente traceja aquilo que nas obras anteriores e posteriores aparece como desenho, e, às vezes, como pintura. Esse é um dos encantos do livro: ir passando de um fragmento a outro, sem esperar continuidade, lógica narrativa, cronologia, e, ao longo dos fragmentos, ir se familiarizando e reconhecendo alguns desses traços que singularizam a escrita de Lygia.

Talvez por sua construção mais fragmentária, *A Disciplina do Amor* põe o leitor em contato estreito com um aspecto recorrente na obra de Lygia: a elipse. A linguagem de Lygia, suas construções semânticas e sintáticas, embora bem acabadas e claras, são frequentemente elípticas. Esse recurso é um dos componentes que contribuem para a permanente sensação de mistério que ronda sua literatura. Como se algo não estivesse sendo dito, ou estivesse sendo não dito. Exemplos de elipses são as frases curtíssimas, não raro de uma palavra só: "Indecifrável."; "Inatingível.". Ou o uso invertido da transitividade verbal, como em: "Os apaixonados [...] agora sabem", tornando o verbo intransitivo, quando se esperaria que houvesse algum complemento. E fica a pergunta: sabem o quê? Eles sabem; os amantes simplesmente sabem. Sabem tudo, ou sabem nada, ou sabem algo cujo conhecimento só o narrador detém ou que fica inteiramente à escolha do leitor. Ou, mais tarde — quem sabe? — o leitor também saberá. E resta, ainda, uma outra opção: os amantes sabem não *alguma coisa*, mas sabem *a alguma coisa*, com a acepção do verbo saber como sabor. Aparentemente fechando a sentença num beco cego, a elipse acaba por propiciar significados que, sem ela, seriam impensáveis. Dessa forma, sucedem-se várias frases e até capítulos elípticos, construindo uma espécie de linguagem divinatória, onde algo está sempre por ser dito: "na infância a gente só acredita", "onde estão aqueles espaçosos telhados [...] ?"; "E os olhos". Poderia se dizer que o livro inteiro é uma grande esfinge, até pela forma como é composto. Qual é seu gênero? Qual seria a ordem lógica dos fragmentos? O que é fato e o que é ficção? Não há respostas exatas para essas questões.

Voltando à ideia de que este livro apresenta os traços principais de que é constituída a obra da autora, a nostalgia também vem nos repuxar para um lugar e um tempo perdido e ansiado: "A igreja. O coreto". A tia que morreu e o tio que se suicidou. Na infância interiorana mora um tempo que acabou sendo tragado pela televisão, pela pressa, pelo atropelo das coisas que precisam passar inopinadamente umas sobre as outras, sem parar. É a reminiscência de um outro olhar, quando parecia possível deter-se demoradamente sobre acontecimentos sem importância nem função, quando o sonho parecia imiscuir-se de forma mais inconsequente e livre com a realidade. Nesse lugar, um dia, a menina foi assistir a uma recitação de poemas feita por uma grande dama e, de tão identificada com o drama recitado, gritou, chorou e foi proibida de voltar ao teatro. Aquele tempo é narrado de tal forma que é como se lá sua mãe estivesse para sempre tocando piano e anotando as compras, os gastos e pequenos poemas num caderno enfeitado de flores. Até mesmo o fato de não se saber exatamente o que, neste livro, é ou não ficção compõe-se coerentemente com a atmosfera nostálgica, pois tudo fica envolto numa espécie de névoa, através da qual o passado parece emergir aos poucos, velado e protegido.

Mas o mais estranho é que essa nostalgia não significa alienar-se do presente ou dos acontecimentos assim chamados "reais". A autora faz questão de afirmar, em quase todas suas entrevistas, que se considera uma escritora engajada e que o escritor tem uma função, que é justamente a de testemunhar seu tempo e servir de ponte para o leitor. Esta escritora sabe como poucos olhar para o passado e extrair desse lugar secreto o material necessário para voltar ao presente. Não é necessário abrir mão das saudades para agir no presente de forma consciente. Ao contrário: Lygia escolhe um engajamento diferenciado, carregado de sentidos abertos. Não se trata de militância escancarada, mas de posições perfeitamente integradas à atmosfera geral de ficção e de enigma. Assim, a lembrança de sua avó poeta, das pequenas ousadias literárias de sua mãe e de seus primeiros textos publicados, ainda na faculdade de Direito, compõem-se organicamente com os gatos, o coreto, o amor. Da mesma forma, as críticas ferinas — e sempre felinas — à linguagem jornalística, que pasteuriza as enchentes e o Carnaval, o apego urgente às causas feministas — "Enquanto não se superar a necessidade da empregada doméstica [...] eu não acredito que possa haver um feminismo no Brasil" —, o olhar lúcido sobre a esquerda — "que grande parte da chamada esquerda brasileira é de ordem puramente sentimental, poucos escapam dessa classificação. Todos uns românticos, do gênero chupador de mexerica" — são posições firmes que acompanham sem fissuras as "bolinhas de mercúrio" caídas, os "grãos de milho", os "mistérios [...] que jamais serão revelados".

Entre esses mistérios, um dos mais fortes é, sem dúvida, a presença discreta de Deus. Ele comparece com frequência quase rítmica nas constantes invocações da narradora: "Ô Deus", "Ô meu Deusinho", e até naquelas que aparentemente não se referem a Deus, como "Ô literatura", "Ô felicidade!". Essas invocações vão marcando a narrativa e emprestando, mesmo aos momentos mais graves, uma tonalidade caseira, antiga e mística. É como se nesses apelos habitasse uma explicação e um agradecimento não racionais a tudo o que acontece na vida. Como se fosse um momento de respiração íntima para dizer algo como: "É o destino. Não há o que fazer", ou então, do alto de sua sabedoria, uma senhora nos dizendo a cada nova ilusão: "Santa ingenuidade!". A fé também aparece nas referências a Santo Agostinho (uma de suas leituras prediletas) e a

Padre Vieira, bem como em sua ideia complementar, no capítulo *Satanificação*, da existência de pequenos demônios, que habitariam os sete solenes Pecados Capitais. Nesse capítulo, impressiona a forma como a narradora junta coloquialismo e intimidade à gravidade do mal, mostrando como essa entidade supostamente absoluta convive e faz parte de cada um de nós em qualquer momento. Talvez venham daí as observações, comuns na fortuna crítica de Lygia, sobre o surgimento do mal, de forma por vezes sádica, de uma crueldade imprevista nas personagens mais inofensivas. Para quem acredita no bem divino, é impossível mesmo descrer do mal, manifesto nas banalidades mais cotidianas: no trânsito, nos assaltos, nas reuniões sociais, na televisão e sempre com todos os diabinhos açodados pelo maior de todos os males: o medo. Guimarães Rosa, outro grande entendedor do bem e do mal, poderia dizer: "O medo O". E Lygia diz: "O medo dos medos: medo de perder, ih! Como acumular tudo numa vida assim provisória?".

A lucidez da linguagem e do pensamento desta narradora que coloca em tudo que lembra — nas coisas grandes e nas pequenas — o olhar da consciência e da crítica, não a impede (ao contrário, parece instigá-la) de considerar também a loucura e o inconsciente. São muitas as descrições de sonhos, a própria fragmentação da linguagem lembra as construções oníricas. Mas, além disso, esse olho busca um desconhecido maior, a loucura: "aceitar o desafio da arte, da loucura"; "o amor deixará de variar se for firme, mas não deixará de tresvariar se for amor" (uma citação de Vieira). A total impossibilidade de compreender o que move os amantes, o interesse e o respeito pelos suicidas e a felicidade provocada pela certeza de que há mistérios que jamais serão revelados, tudo isso contribui para a presença de um grão de loucura sempre germinando. Em seu discurso de posse na Academia Brasileira de Letras, lembrando de seu professor de química no ginásio, Lygia diz como são fundamentais "a loucura, o acaso e o imprevisto desencadeando reações dentro do mesmo caldeirão. A fogo brando, para evitar o pior". E, numa entrevista da década de 1990, a autora afirma também a importância, para um escritor, do furor e da cólera. Parece estranho para uma pessoa aparentemente tão delicada, com uma obra também contida, mesmo que corajosa. No entanto, lendo com mais cuidado, vemos que não há por que estranhar. A contenção atua justamente para segurar um furor que fica latejando e que, vez por outra, reverbera na superfície. É que o medo da mediocridade, da "mornidão" e da "mulher-goiabada" nunca permitem que sua literatura perca o gume ou que sua delicadeza se confunda com o receio de enfrentar as adversidades. O enfrentamento existe, e com galhardia, mas sem escândalo, como observa Antonio Dimas no posfácio à edição mais recente de *Antes do Baile Verde*.

Talvez o princípio de fusão desses elementos aparentemente díspares, mas que percorrem toda sua obra — a delicadeza, a coragem e o mistério —, seja justamente aquilo *a que* os amantes sabem, e não *o que* eles sabem. Os amantes conhecem as coisas, porque elas têm sabores, cheiros, tato. Os sentidos, a sensualidade, acompanham finamente até mesmo os momentos mais graves e engajados da narrativa de Lygia. São como a liga que agrega luz e sombra, ajudando a criar esta obra tão particular. Lygia não olha, espia; não afirma, insinua, e mesmo assim tem o "apetite exato". No Irã, na China, na Rússia, a narradora pouco presta atenção às grandes atrações turísticas. Está interessada nos cheiros, nas comidas, nos olhares, no vento, nas cores. O vinho dourado, o âmbar tunisiano, os americanos e alemães "lustrosos e vermelhos", a cidade com uma "brancura imaculada de cal". As cidades são masculinas ou femininas e São Paulo é uma difícil e fascinante "cidade-macho". No Brasil, a partir de suas memórias, saltam para o presente o cheiro da "erva que acalma o amor", o barulho das marrecas selvagens, a "exaltação culposa" da visão dos touros cobrindo as vacas no pasto. As sensações e os sentimentos, mesmo lúcidos, são eles que vão escrevendo esses fragmentos. É a narradora que vai sendo escrita por eles e se formando à medida que eles avançam e retrocedem. Daí o esclarecimento fundamental para a compreensão deste livro e da escrita de Lygia: "Comecei a escrever estes fragmentos: fiquei sendo a narradora que me focaliza e me analisa mas sempre através de uma intermediária que seria o terceiro lado desse triângulo. Fica simples, somos três. Perfeito o convívio entre nós porque a intermediária é discreta, tipo leva e traz mas sem interpretações.". Lygia leva e traz o que as coisas e acontecimentos vão deixando para ela, e nós, leitores, vamos catando pelo caminho esses fragmentos de mundo. À medida que lemos, vamos colando as partes e as possíveis interpretações estão a nosso encargo. Ao final, percebemos que o objeto colado assemelha-se àquela estatuazinha de gesso de Manuel Bandeira: "é tocante e vive, e me faz agora refletir/ que só é verdadeiramente vivo o que já sofreu".

NOEMI JAFFE é doutora em literatura brasileira pela Universidade de São Paulo (USP) e professora de teoria literária na pós-graduação da Pontifícia Universidade Católica (PUC-SP). É autora de *Do princípio às criaturas* (2008) e *Todas as coisas pequenas* (2005), entre outros livros, e crítica literária do jornal *Folha de S.Paulo*.

A Literatura Como um Ato de Amor

DEPOIMENTO/ RICARDO RAMOS

Uma procura humilde, ou a humildade como técnica. Foi Clarice Lispector quem escreveu sobre isso, preocupada com a nossa incapacidade de atingir, na indagação de tudo aquilo que nos leve mais depressa ao entendimento. Ela vai além, se desenvolvendo, confessa nunca haver tido um só problema de expressão, mas sim de concepção, e diz falar do que pode ou não ser alcançado. Para concluir: "Só se aproximando com humildade da coisa é que ela não escapa totalmente".

Tal postura, que tem muito de ordenação, nos faz recuar até a velha teoria das duas almas. Em um dos seus contos, Machado de Assis estabelece que "cada criatura humana traz duas almas consigo: uma que olha de dentro para fora, outra que olha de fora para dentro". Uma alma exterior, sim, uma segunda alma, que tanto quanto a primeira tem por encargo transmitir vida. E que é mutável, de natureza e de estado. A fim de captá-la, tornou-se necessário à personagem colocar-se diante de um espelho, examinar-se observando, e então "o vidro exprimia tudo". Reproduzindo a figura integral.

Humildade e transparência. Essas duas palavras, como atitude, como intenção, nos foram lembradas pelo ainda recente *A Disci-*

plina do Amor, de Lygia Fagundes Telles. Porque não sabemos de livro que melhor exprima, na busca de uma inflexão pessoal que é o trabalho do escritor, tais acentos de singela e transpassada abordagem. A simplicidade no seu mecanismo de achar, posto que obrigação interior de espelhar-se, essa nos parece a norma essencial da escritora. E nada nos toca mais do que tamanha verdade.

A Disciplina do Amor é uma reunião de contos, crônicas, confissões. De lembranças com pessoas, de flagrantes com personagens, de vivas paisagens pintadas. De sonhos e situações e sinais que nos acordam, ficam evoluindo na imaginação ou na consciência. São anotações, reflexões. Por entre choques e sustos, visões e descobertas, externos, interiores esses caminhos perplexos. Dito assim, pode parecer um livro dividido, fracionado. Mas não, o fragmentário mostra-se só aparente. Pois existe a unidade de escrita, um dos textos mais individualizados da nossa prosa contemporânea, feito de ciente precisão e agilidade elegante, uma difícil graça fluente. E, além disso, temos harmonia maior: a personalidade de autor — extremamente rica, onde se marcam em traços nítidos a descoberta emoção e o rigor controlado, o ser ao mesmo tempo capaz da poesia, do humor e da indignação. Sempre de maneira imprevista, posto que vindo subterrânea e sutil até a revelação.

Lygia Fagundes Telles escreve sobre enchentes e desfiles de escolas de samba pela televisão, passeio em praia de Ubatuba ou numa praça de Teerã. No entanto, há meteoros e mistérios em uma, jovens enforcados pendentes na outra. Menos fatos, mais temas, sobre a coragem, a loucura, religião ou liberdade. Variações, visitações. O diabinho ao despertar, o instante que precede o sono, uma levitação entre a vida e a morte. A gata Iracema, que tem um sentido, a tiazinha que não viveu e soube disso antes de morrer, que tem outro. As frases do caderno, os lugares não esquecidos e quem os povoou, rostos, objetos, memórias. Ao termo de tudo, ambiguidades. Ou superposições, com as relações claras, mas sem chaves de abrir. A criança perdendo o medo ao contar suas próprias histórias, ela que apavorada as ouvia da empregada, iniciando-se no ofício de amanhã. E o seu reverso, o processo de extinção do escritor, ele tão finito quanto a árvore e o índio. Um lado e outro. Entre os dois, um território de indagações, meditações. No conjunto, há vários traçados, que se cruzam, completam ou conflitam. É sempre assim, quando se busca entender. Principalmente, quando se enfrenta a sucessão das nossas dúvidas maiores, e sem escamotear procuramos um fim.

Aqui não existe o trivial ou desimportante. Se guardamos de um trecho a sensação de incidental, é que não soubemos chegar ao cerne dele, seus acasos organizados. No centro de tudo, avultam os temas de permanência. Lygia Fagundes Telles se preocupa com a vida, o engano de vida, o que o tempo faz da vida. Os desencontros, as lacunas, os desequilíbrios de viver. A busca que empreendemos, ainda que sem sentir, a cada passo do nosso roteiro. E o quanto nos perdemos, não chegamos, ficamos em pleno mar. Sinalizando o nosso código secreto de noite e silêncio, feitos navios que se passam longe, só luzes. Sem perceber que até as marrecas selvagens, muitas delas, escolhem o fundo, ainda que suas asas terminem pesando de tanto lodo. É uma escolha, sim. A da lucidez e não a da trégua, porque uma representa luta e outra ausência, doença, mesmo que não o percebamos. Ou a da própria sensibilidade, sem maior compreensão, porque existe isso de intuir, de acertar apesar de fagueiros. Não neste caso, não inteiramente, acreditamos. A escritora se denuncia, ao logo de todo o livro, portadora de um plano de coerência que se exerce na incerteza, na suspeita, na hesitação, é certo, mas talvez por isso tão assombrosa e legítima.

Um livro belo e sério. De temática decerto elevada, aquela duradoura, mas abordado com a requerida humildade, realizada com a necessária transparência. E a disciplina de Lygia Fagundes Telles, que faz da literatura um ato de amor. Hoje como ontem, como desde os seus começos, pois não se trata de lançamento isolado, apenas um título novo em sua bibliografia, por mais notável que ele seja. *A Disciplina do Amor* assume a importância de livro-chave, revelador, mapa e guia de toda uma positiva aventura literária, o vasto mundo de uma admirável escritora. Na sua matéria peculiar, no seu tratamento personalizado, na linguagem e atmosfera, na variável dos caminhos, nas tantas referências que marcam o feitio de tão grande autora. Pelo muito que ela significa em nossa prosa de ficção, e não somente ecoando uma crescente popularidade (obra adotada nas escolas, adaptada na televisão, discutida nas mais diferentes esferas), é urgente que se leia *A Disciplina do Amor* de Lygia Fagundes Telles.

Texto originalmente publicado em *O Estado de S. Paulo*, em 18 de setembro de 1981.

A Autora

Lygia Fagundes Telles nasceu em São Paulo e passou a infância no interior do estado, onde o pai, o advogado Durval de Azevedo Fagundes, foi promotor público. A mãe, Maria do Rosário (Zazita), era pianista. Voltando a residir com a família em São Paulo, a escritora fez o curso fundamental na Escola Caetano de Campos e em seguida ingressou na Faculdade de Direito do Largo São Francisco, da Universidade de São Paulo, onde se formou. Quando estudante do pré-jurídico cursou a Escola Superior de Educação Física da mesma universidade.

Ainda na adolescência manifestou-se a paixão, ou melhor, a vocação de Lygia Fagundes Telles para a literatura, incentivada pelos seus maiores amigos, os escritores Carlos Drummond de Andrade, Erico Verissimo e Edgard Cavalheiro. Contudo, mais tarde a escritora viria a rejeitar seus primeiros livros porque em sua opinião "a pouca idade não justifica o nascimento de textos prematuros, que deveriam continuar no limbo".

Ciranda de Pedra (1954) é considerada por Antonio Candido a obra em que a autora alcança a maturidade literária. Lygia Fagundes Telles também considera esse romance o marco inicial de suas obras completas. O que ficou para trás "são juvenilidades". Quando da sua publicação o romance foi saudado por críticos como Otto Maria Carpeaux, Paulo Rónai e José Paulo Paes. No mesmo ano, fruto de seu primeiro casamento, nasceu o filho Goffredo da Silva Telles Neto, cineasta, e que lhe deu as duas netas: Lúcia e Margarida. Ainda nos anos 1950, saiu o livro *Histórias do Desencontro* (1958), que recebeu o prêmio do Instituto Nacional do Livro.

O segundo romance, *Verão no Aquário* (1963), prêmio Jabuti, saiu no mesmo ano em que já divorciada casou-se com o crítico de cinema Paulo Emílio Sales Gomes. Em parceria com ele escreveu o roteiro para cinema *Capitu* (1967), baseado em *Dom Casmurro*, de Machado de Assis. Esse roteiro, que foi encomenda de Paulo Cezar Saraceni, recebeu o prêmio Candango, concedido ao melhor roteiro cinematográfico.

A década de 1970 foi de intensa atividade literária e marcou o início da sua consagração na carreira. Lygia Fagundes Telles publicou, então, alguns de seus livros mais importantes: *Antes do Baile Verde* (1970), cujo conto que dá título ao livro recebeu o Primeiro Prêmio no Concurso Internacional de Escritoras, na França; *As Meninas* (1973), romance que recebeu os prêmios Jabuti, Coelho Neto da Academia Brasileira de Letras e "Ficção" da Associação Paulista de Críticos de Arte (APCA); *Seminário dos Ratos* (1977), premiado pelo PEN Clube do Brasil. O livro de contos *Filhos Pródigos* (1978) seria republicado com o título de um de seus contos, *A Estrutura da Bolha de Sabão* (1991).

A Disciplina do Amor (1980) recebeu o prêmio Jabuti e o prêmio APCA. O romance *As Horas Nuas* (1989) recebeu o prêmio Pedro Nava de Melhor Livro do Ano.

Os textos curtos e impactantes passaram a se suceder na década de 1990, quando, então, é publicado *A Noite Escura e Mais Eu* (1995), que recebeu o prêmio Arthur Azevedo da Biblioteca Nacional, o prêmio Jabuti e o prêmio Aplub de Literatura. Os textos do livro *Invenção e Memória* (2000) receberam os prêmios Jabuti, APCA e o "Golfinho de Ouro". *Durante Aquele Estranho Chá* (2002), textos que a autora denominava de "perdidos e achados", antecedeu seu livro *Conspiração de Nuvens* (2007), que mistura ficção e memória e foi premiado pela APCA.

Em 1998, foi condecorada pelo governo francês com a Ordem das Artes e das Letras, mas a consagração definitiva viria com o prêmio Camões (2005), distinção maior em língua portuguesa pelo conjunto da obra.

Lygia Fagundes Telles conduziu sua trajetória literária trabalhando ainda como procuradora do Instituto de Previdência do Estado de São Paulo, cargo que exerceu até a aposentadoria. Foi ainda presidente da Cinemateca Brasileira, fundada por Paulo Emílio Sales Gomes, e membro da Academia Paulista de Letras e da Academia Brasileira de Letras. Teve seus livros publicados em diversos países: Portugal, França, Estados Unidos, Alemanha, Itália, Holanda, Suécia, Espanha e República Checa, entre outros, com obras adaptadas para tevê, teatro e cinema.

Vivendo a realidade de uma escritora do terceiro mundo, Lygia Fagundes Telles considerava sua obra de natureza engajada, comprometida com a difícil condição do ser humano em um país de tão frágil educação e saúde. Participante desse tempo e dessa sociedade, a escritora procurava apresentar através da palavra escrita a realidade envolta na sedução do imaginário e da fantasia. Mas enfrentando sempre a realidade deste país: em 1976, durante a ditadura militar, integrou uma comissão de escritores que foi a Brasília entregar ao ministro da Justiça o famoso "Manifesto dos Mil", veemente declaração contra a censura assinada pelos mais representativos intelectuais do Brasil.

A autora já declarou em uma entrevista: "A criação literária? O escritor pode ser louco, mas não enlouquece o leitor, ao contrário, pode até desviá-lo da loucura. O escritor pode ser corrompido, mas não corrompe. Pode ser solitário e triste e ainda assim vai alimentar o sonho daquele que está na solidão".

Lygia Fagundes Telles faleceu em 3 de abril de 2022, em São Paulo.

Na página 217, retrato da autora feito por Carlos Drummond de Andrade na década de 1970.

Esta obra foi composta
em Utopia e Trade Gothic
por warrakloureiro
e impressa em ofsete pela
Lis Gráfica sobre papel
Pólen Bold da Suzano S.A.
para a Editora Schwarcz
em julho de 2023

A marca FSC® é a garantia de que a madeira utilizada na fabricação do papel deste livro provém de florestas que foram gerenciadas de maneira ambientalmente correta, socialmente justa e economicamente viável, além de outras fontes de origem controlada.